世界史の極意

佐藤 優 Sato Masaru

世界史の極意　目次

序章　歴史は悲劇を繰り返すのか？——世界史をアナロジカルに読み解く

歴史をアナロジカルにとらえるレッスン

みなさんは、何のために歴史を勉強するのでしょうか。

学生ならば、成績を上げるため、受験に合格するためといった理由でしょう。過去を生きた人間の営みを知るのが楽しいという人もいれば、ＮＨＫの大河ドラマが面白かったので、その時代のことをさらに知りたくなったという人もいると思います。

教養を身につけるためという人も多いでしょう。

あなたがビジネスパーソンならば、もっとも重要な基礎教養の一つは世界史である、と私ははっきり申し上げます。

なぜか。

世界史は強力な武器になるからです。

ヒト・モノ・カネが国境を越えてめまぐるしく移動する現在、ビジネスパーソンには国際的な感覚が求められています。そのためには、外国語を身につけるだけでは十分でありません。現下の国際情勢が、どのような歴史の積み重ねを経て成立しているのかを正確に認識し、状況を見通す必要がある。若いビジネスパーソンには、過去に起きたことのアナロジー（類比）によって、現在の出来事を考えるセンスが必要なのです。

そのようなセンスは、世界史の教科書や年表を漫然と眺めているだけでは身につきません。

本書では、〈いま〉を読み解くために必須の歴史的出来事を整理して解説します。世界史の通史を解説する本ではありません。世界史を通して、アナロジー的なものの見方を訓練する本です。

いま、「アナロジー（類比）」と書きました。これは、似ている事物を結びつけて考えることです。アナロジー的思考はなぜ重要なのか。未知の出来事に遭遇したときでも、この思考法が身についていれば、「この状況は、過去に経験したあの状況とそっくりだ」と、対象を冷静に分析できるからです。

すぐれた作家や著述家は、巧みなアナロジーで物事を解説し、新しい理解の地平を開いてきました。その意味では、アナロジー的な思考を養うことは、ビジネスにおいても国際的なセンスのみならず、説明スキルを向上させる効果を持つはずです。

「短い二〇世紀」に何が起きたのか

さて、本書で世界史を通じてアナロジー的思考の訓練をすることには、以上の実利的目的とあわせて、別のねらいもあります。

それは「戦争を阻止（そし）すること」です。

なんと大仰（おおぎょう）な、と驚かれるかもしれません。以下、説明しましょう。

第一次世界大戦勃発（ぼっぱつ）から一〇〇年を経た二〇一四年、ウクライナ問題やイスラム国の拡大など、「戦争の危機」を感じさせるような出来事が世界で起きています。

イギリスの歴史家エリック・ホブズボームは、一七八九年のフランス革命から一九一四年までを「長い一九世紀」と、一九一四年から九一年のソ連崩壊までを「短い二〇世紀」

と呼びました。

「長い一九世紀」とは、啓蒙の時代、進歩の時代です。理性を正しく用いれば、過去から現在、現在から未来へと人間は無限に進歩していくことが素直に信じられた時代でした。科学や産業が発達し、物質的にも豊かになっていったヨーロッパでは、自分たちこそもっとも文化的に進歩した地域だと自負し、近代化をとげていない異文化の国々を「未開」や「野蛮」ととらえました。「未開」や「野蛮」である国々は、ヨーロッパが指導して、発展させなければならないという「ヨーロッパ中心主義」が、植民地支配を正当化していったのも、この時代です。

しかし人類を待ち受けていたものは、無限の進歩ではなく、二つの世界大戦でした。その意味で、第一次世界大戦は進歩の時代の終わりを告げるものです。

さらに、ホブズボームは、第一次世界大戦と第二次世界大戦をまとめて「二〇世紀の三一年戦争」ととらえています。

この三一年戦争の期間は、欧米の自由主義と民主主義が深刻な危機を迎えた時代でした。第一次世界大戦中に、ロシア革命が起こり、一九二二年にはソヴィエト社会主義共和国連邦が結成されます。戦間期にはドイツでナチズム政権が生まれ、イタリア、日本もファシズム国家として自由主義陣営と対立します。

次のホブズボームの言葉を見ると、社会主義とナチズム、ファシズムの台頭によって、自由主義と民主主義がどれだけ窮地に立ったかがわかるはずです。

> 世界全体としては、一九二〇年にはおそらく三五か国かそれ以上の立憲主義的な、選挙によってつくられた政府（いくつかのラテン・アメリカの共和国をどのように分類するかによって国の数は変わる）があったが、一九四四年には地球上の総計六四か国中のおそらく一二か国にすぎなかった。（エリック・ホブズボーム［河合秀和訳］『20世紀の歴史（上）』三省堂、一六七頁）

戦後は、東西冷戦の時代が形作られていきますが、一九九一年のソ連崩壊によって、共産主義・社会主義陣営の敗北が明らかになりました。ホブズボームは、ここに「短い二〇世紀」の終わりを見たわけです。

「戦争の時代」は続いている

しかし、ホブズボームは時代の診断を誤ったのではないかと私は考えています。なぜなら一九一四年に始まった「戦争の時代」はいまなお続いているからです。「世界大戦」は終わっていません。

ソ連崩壊の翌九二年、アメリカの政治学者フランシス・フクヤマは『歴史の終わり』のなかで、民主主義と自由経済主義の最終的な勝利を高らかに宣言しました。もしもフクヤマの言うとおりであれば、世界中が民主主義国となって、穏やかで平和な時代が訪れたはずです。

でも、現実はまったく違いました。

ソ連崩壊の一〇年後、二〇〇一年九月一一日に起きたアメリカ同時多発テロ事件、二〇〇三年のイラク戦争を皮切りに、現在のシリア内戦やウクライナ危機、イスラム国の脅威まで、人類が戦争や紛争をしなかった時期などまったくありません。

ＥＵ諸国も金融危機以来、社会は不安定化する一方です。

二〇一四年五月二二～二五日にかけて、EU二八カ国で行われた欧州議会選挙では、フランスの国民戦線、イギリスの英国独立党、デンマーク人民党など、反移民、反EUを掲げる極右勢力の議席が急拡大しました。

英国ではスコットランド独立問題が生じ、ベルギーでも南北の対立が激化して、北部（フランドル地方）に独立の動きがあります。

日本を見ても、領土問題に関する近隣諸国との緊張は高まる一方です。とりわけ沖縄県の尖閣諸島をめぐっては、誤解や挑発が引き金となって日中武力衝突に発展する危険性があります。

ごく一般的なビジネスパーソンでも、いまの日本と世界に対して、きな臭さを感じているはずであり、その直観は正しいのです。

核兵器を使わずに戦争する「知恵」

なぜ、第一次世界大戦から一〇〇年を経て、「戦争の時代」が再燃しようとしているのでしょうか。

二つの悲惨な戦争を経て、人類は世界戦争に懲りたのではなかったのか。核兵器を使えば、互いに自滅することが避けられないから、戦争は抑止されるのではなかったのか。

しかし、ウクライナ紛争やイスラエル軍によるガザ攻撃によって、核は抑止力として機能しないことがはっきりしました。

どういうことかというと、人類は核兵器を使わない範囲で戦争をする「知恵」をつけてきているのです。

核以外の兵器を使って戦っても死者は出ます。ウクライナ紛争ではおよそ二五〇〇人くらいの死者が出ています。今回のガザ攻撃でも二〇〇〇人程度の死者が出ました。つまり先進国であっても、二〇〇〇人程度の死者が出る範囲の戦争なら抵抗がないような状況がつくられつつあるわけです。

もちろん、この臨界は国によって異なります。アメリカの場合は、二〇〇〇人なんていう犠牲には耐えられないでしょう。海兵隊が十数人死んだって、国内で大問題になります。日本はどうでしょう。これまでの日本ならば、一桁、いや一人であっても、政権が崩壊しました。しかし、安倍政権中枢や外務官僚は、自衛隊員の海外派兵を可能にする解釈改憲を本気で考えていました。

結果的に、公明党が連立与党に加わり、閣議決定の内容に制約を加えたために、集団的自衛権の実質的な行使には高い障壁ができましたが、そもそも立憲主義の何たるかをわきまえていない安倍政権は、つねに暴走するリスクを孕んでいます。

歴史の反復に気づくために

このような状況にあって、知識人の焦眉の課題は「戦争を阻止すること」です。そして、戦争を阻止するためには、アナロジカルに歴史を見る必要があります。

なぜか。

すでにお話ししたとおり、アナロジカルに歴史を見るとは、いま自分が置かれている状況を、別の時代、別の場所に生じた別の状況との類比にもとづいて理解するということです。こうしたアナロジー的思考は、論理では読み解けない、非常に複雑な出来事を前にどう行動するかを考えることに役立つからです。

「歴史は繰り返す」とよく言われます。しかし、歴史が反復しているかどうかを洞察するためには、アナロジカルに歴史を見ることが不可欠です。マルクスは『ルイ・ボナパルトのブリュメール18日』で「歴史はかならず繰り返す。最初は悲劇として。そして次は、悲喜劇として」と語っていますが、「次」が悲喜劇である保証はありません。

第一章でくわしく見るように、現代は一九世紀末から二〇世紀初頭の帝国主義を繰り返そうとしている。帝国主義の時代には、西欧諸国が「力」をむきだしにして、勢力を拡大しました。現代もまた中国、そしてロシアが帝国主義的な傾向を強めている。これが、アナロジカルに歴史を見ることの一例です。

ぼんやりとニュースを見たり読んだりしているだけでは、こうした歴史の反復に気づくことはできません。帝国主義の特徴や論理を知っていることとあわせて、その知識を現代の状況と類比的に結びつけることではじめて、現代が帝国主義を繰り返していると洞察できるのです。

なぜアナロジーが重要なのか

アナロジーを用いて語ることは、神学的思考の特徴でもあります。

キリスト教神学者のアリスター・E・マクグラスは、『キリスト教神学入門』のなかで、アナロジー（類比）とメタファー（隠喩）の違いを次のように説明しています。

1　神には知恵がある。

2　神は獅子である。

第一の場合、神の本性と人間の「知恵」の概念との間に類比の関係があることが主張されている。言語的にも存在論的にも、人間の知恵と神の知恵の概念の間に直接の並行関係があることが示されているのである。人間の知恵は神の知恵の類比として働く。この比較には驚くようなことは何もない。

第二の場合の比較はある程度の驚きを引き起こし得る。神を獅子と比較するというのは適切なこととは思われない。神と獅子との間にどれほど類似性があろうと、明らかに沢山の相違もある。（アリスター・E・マクグラス〔神代真砂実訳〕『キリスト教神学入門』

教文館、三五一頁、ルビは引用者）

アナロジーもメタファーも、二つの事柄の間に、類似性の要素と差異性の要素があります。マクグラスが言っているのは、メタファーのほうが差異性の要素が強いので、表現としての異化効果、人をハッと驚かせたりする効果が強まるということです。

ここの例でいえば、「神は獅子である」という表現によって、神が怒る存在であることに気づかせるわけです。

それに対して、アナロジーは「驚くようなことは何もない」。それは、類似性の要素のほうが差異性の要素よりも大きいからです。

私自身は、アナロジーとメタファーに厳密な境界を引くことは難しいので、メタファーもアナロジーのなかに含めてしまってかまわないと考えています。

そのうえで、神学においてなぜアナロジーが重要なのかというと、アナロジーを用いることは、神という見えない存在について考えるうえで非常に役立つからだ、とマクグラスは言います。

たとえば「神はわれわれの父である」という表現は、神と人間の父親を類比的にとらえている。人間は神のすべてを知ることはできませんが、人間の父親への理解を手がかりにして、神について考えることができるようになるわけです。

ヘイトスピーチの背景

歴史にも同じことが言えます。

現代がどのような時代であるかを完璧に説明することなどできません。そこで、過去の歴史的な状況との類比を考えることによって、現代を理解するという作業が必要になるのです。

この作業は、現在を理解するための「大きな物語」をつくることだと言い換えることができるでしょう。

「大きな物語」とは、社会全体で共有できるような価値や思想の体系のこと。「長い一九世紀」の時代であれば、「人類は無限に進歩する」とか「民主主義や科学技術の発展が人々を幸せにする」というお話が「大きな物語」です。

ところが、民主主義からナチズムが生まれ、科学技術が原爆をつくるようになると、人々は「大きな物語」を素直に信じることができなくなります。

とくに、私の世代以降の日本の知識人は、「大きな物語」の批判ばかりを繰り返し、「大きな物語」をつくる作業を怠ってきてしまいました。

歴史研究でも、細かい各論の実証は手堅くおこないますが、歴史をアナロジカルにとらえ、「大きな物語」を提出することにはきわめて禁欲的でした。

その結果、何が起きたか。排外主義的な書籍やヘイトスピーチの氾濫です。

人間は本質的に物語を好みます。ですから、知識人が「大きな物語」をつくって提示しなければ、その間隙をグロテスクな物語が埋めてしまうのです。

具体的にはこういうことです。知識人が「大きな物語」をつくらないと、人々の物語を読み取る能力は著しく低下する。だから、「在日外国人の特権によって、日本国民の生命と財産がおびやかされている」というような稚拙でグロテスクな物語であっても、多くの人々が簡単に信じ込んでしまうようになるわけです。

私の方向転換

私自身も、認識が甘かったことを認めなければなりません。
二〇一四年の日本と世界を見ると、私が考えている以上に、私を含めた人類は愚かでした。

これまで私が歴史を読み解くうえで用いた方法論は、いったん歴史を類型化して、そのうえで具体性と実証性にこだわるという読み方でした。くだいて言うと、日本をはじめとする各国の文化に応じて世界史をタイプ分けし、それぞれの特性を探るという作業です。大川周明や国家社会主義者の高畠素之（たかばたけもとゆき）、『国体の本義』などに関する著作や連載がその典型です。

こうした読み解きで私が示したかったのは、「世界史は複数ある」という問題でした。アメリカの視座から組み立てた世界史もあれば、日本の視座から組み立てた世界史もある。しかし、知識人が「大きな物語」をつくることを怠ってきたせいで、日本の視座から組み立てた世界史の影は薄くなってしまった。

そこで自覚的に日本の「大きな物語」を再構築する必要を感じました。それを踏まえて、帝国主義的な傾向を強めていく国際社会のなかで、日本国家と日本国民が生き延びる知恵を見いだしていくことを意図していたわけです。

しかし現在の私は、そういった作業の必要性を感じていません。というよりも、グロテスクな「大きな物語」の氾濫をせき止める物語を構築するほうが急務の課題だと認識しています。

以上のような個人的な反省も踏まえて、本書では、アナロジーによって歴史を理解するという方法論を採ることにしました。これが実利的にも有益であることは、ここまで述べたとおりです。

日本が国際社会から孤立している理由

二〇一二年の第二次安倍政権発足以来、麻生太郎副総理が憲法改正のためにナチスの手口を学ぶことを肯定するような発言をしたことで、国際社会から非難の声が多数浴びせられました。靖国参拝や慰安婦問題をめぐる政府の対応に対しても、「日本の右傾化」を危ぶむ海外の政治家やメディアが跡を絶ちません。

その結果、国際社会からの日本の孤立が進んでしまっています。

安倍政権が日本の孤立をまねくような対応を繰り返すのは、アナロジカルな思考や理解が欠如しているからです。

たとえば、慰安婦問題について欧米の人々は、「自分の娘や妹が慰安所で性的奉仕に従事させられたとしたら……」という思いでこの問題を見ています。だから、かつてはどんな国にも公娼制度があったと主張しても、それ自体が人権を踏みにじるものだと理解される。こうした類比的な思考を一切考慮せず、「私たちは間違えていない」と言い張ったところで、国際社会からの理解を得ることはできません。

言ってみれば、安倍政権は、コンビニの前でヤンキー座りをして、みんなでタバコをふかしている連中と同じです。仲間どうしでは理解しあえても、外側の世界が自分たちをどう見ているのかはわからない。アナロジカルに物事を考える訓練をしていないと、外部の世界を失ってしまうわけです。

各章のねらい

以上の問題意識から、本書では世界史をアナロジカルに見る訓練をおこないます。冒頭で述べたとおり、世界史の通史的な解説をおこなうものではありません。「資本主義と帝国主義」「民族とナショナリズム」「キリスト教とイスラム」という三つのテーマを集中的に学習することで、現下の世界のありかたを正確にとらえて、「戦争の時代」を生き抜く知恵を歴史に探ることが本書のねらいです。

簡単に各章のテーマを説明しておきましょう。

第一章「多極化する世界を読み解く極意」は、私が「新・帝国主義の時代」と呼ぶ現代の時代状況を、社会経済史という観点から位置づけることをねらいとします。一九一四年以来、戦争の時代が継続している以上、時代状況をきちんと把握するためには、かつての「旧・帝国主義の時代」の戦争と、「新・帝国主義の時代」の戦争がどう異なるのかを知る必要があるのです。

第二章「民族問題を読み解く極意」は、戦争の阻止に直接かかわってくる内容です。戦争や紛争を阻止するためには、近代の根底にある民族とナショナリズムについての理解が欠かせません。

ウクライナ危機であれ、スコットランド独立問題であれ、「民族」という要素に着目してこそ、その本質を理解することができます。

また、この章では、高等学校の世界史では脇に追いやられがちだった中東欧史を中心に扱います。

その理由は、民族の原形モデルは、イギリスやフランスといった西欧ではなく、中東欧で生まれたものだからです。極論すれば、中東欧史を押さえないと、民族やナショナリズムの問題を理解することはできません。

基本的なナショナリズム論を参照しながら、歴史的事象を学んでいくことで、現代の民族問題とナショナリズムをアナロジカルに理解する力を身につけることが、この章のねらいとなります。

第三章「宗教紛争を読み解く極意」は、平均的日本人がもっとも苦手とする、キリスト教とイスラムの歴史を取り上げますが、それぞれの宗教史を概説するものではありません。

国民国家の機能不全とともに、ＥＵとイスラム国に典型的な、国家や民族を越えたネットワーク化の動きが先鋭化しています。キリスト教を源泉とするEUと、イスラムを源泉とするイスラム国の比較を通じて、宗教という角度から「戦争の時代」を問い直してみます。

EUもイスラム国も、その背景には資本主義とナショナリズムの問題がある。その意味では、三章の議論を咀嚼（そしゃく）することで、一章、二章の内容をより深く理解することができるはずです。

資本主義、ナショナリズム、宗教――私の見立てでは、この三点の掛け算で「新・帝国主義の時代」は動いている。その実相をアナロジカルに把握することが本書の最終目標です。

この序章をはじめ、各章の最後には、それぞれのテーマをさらに考察するうえで役に立つ本を挙げました。有益な本はたくさんありますが、ここでは入手しやすく読みやすい本に絞（しぼ）ったつもりです。よりくわしく勉強したい読者は、巻末に挙げた文献にもぜひあたってみてください。

■アナロジー的思考を鍛えるための本

『要説　世界史（世界史A）』
『詳説　世界史（世界史B）』
山川出版社

世界史Aの教科書は、近現代史に重点を置いた構成になっている。ビジネスパーソンに必要な基礎教養はこの一冊で十分身につくだろう。

世界史の通史的知識も押さえておく必要がある。意欲のある人は、世界史Aの次に世界史Bを読み込み、通史の知識を補充していくといい。

山内昌之
『歴史とは何か』
PHP文庫

歴史の真実とは何か。歴史の真実に辿りつくため、歴史家たちはいかに格闘してきたのか。ヘロドトスから福澤諭吉までの様々な例を紹介し、歴史の本質に迫った好著。アナロジカルな視点を磨くためには、このような知的作業が必須だ。

加藤陽子、佐藤優、福田和也
『歴史からの伝言』
扶桑社新書

日本近現代史についての、加藤・福田両氏との討議をまとめた一冊。TPPや沖縄問題、戦争責任問題、日米関係などアクチュアルな課題を歴史的に読み解くためのヒントがつまっている。

第一章　多極化する世界を読み解く極意

——「新・帝国主義」を歴史的にとらえる

第一章関連年表

■旧・帝国主義の時代	
1870(～71)	普仏戦争
1873(～96)	大不況
1873	独墺露三帝同盟
1875	イギリス、スエズ運河会社株式買収
1877	英領インド帝国成立
1881	フランス、チュニジアを保護国化
1882	アメリカで石油トラスト形成
1887	仏領インドシナ連邦成立
1888	ヴィルヘルム2世、ドイツ皇帝に即位
1898	アメリカ＝スペイン戦争
1899(～1902)	南アフリカ戦争
1914(～18)	第一次世界大戦
1917	ロシア革命

■新・帝国主義の時代	
1989	ベルリンの壁崩壊
1991	ソ連崩壊
2001	アメリカ同時多発テロ
2005	シンガポール、ブルネイ、チリ、ニュージーランドの4か国間でTPP調印
2008	ロシア・グルジア戦争
	リーマン・ブラザーズ破綻
	アメリカ、TPPの交渉に参加表明
2010	中国、GDPで世界第2位になる
	欧州債務危機
2011	南スーダン独立
	プーチン、ユーラシア連合構想を提唱
2012	オバマ、ミャンマーを訪問
2013	中国、防空識別圏を設定
2014	ウクライナ危機

私は、現在の国際環境を「新・帝国主義の時代」と呼んでいます。「新・帝国主義の時代」と言うのは、「帝国主義の時代」と呼ばれる時代が世界史のなかに存在したからです。つまり、かつての「帝国主義の時代」とのアナロジーで、こう呼んでいるわけです。

第一章では新・帝国主義の時代の状況を、社会経済史という観点から位置づけることをねらいとします。

前半では、何が一八七〇年代に旧・帝国主義の登場を促したのかを、一六世紀にまでさかのぼって検討したうえで、新旧両方の帝国主義の本質を明らかにします。

後半では、主にイギリスの経済史を参照しながら、旧・帝国主義の時代の前提となった資本主義の本質というものを考えてみることにします。

1 帝国主義はいかにして生まれるのか

旧・帝国主義の時代

世界史のなかで「帝国主義の時代」は、一八七〇年代から第一次世界大戦まで。この時期、欧米列強が軍備を拡大させ、世界各地を自らの植民地や勢力圏として支配していきました。

高校の歴史教科書『詳説　世界史』を見てみましょう。帝国主義については次のように説明されています。

　主要国の資本主義が発展し、相互の競合が激しくなると、将来の発展のための資源供給地や輸出市場として、植民地の重要性が見直された。不況と低成長が続いた一八七〇年代以降には、本国と植民地との結びつきを緊密にし、まだ植民地となっていない地域を占有しようとする動きが高まった。この背後には、欧米諸国に、ヨーロッパ近代文明の優越意識と非ヨーロッパ地域の文化への軽視が広まり、非ヨーロッパ地域の制圧や支配を容易にする交通・情報手段や、軍事力が圧倒的に優勢であるという状況があった。八〇年代以降、諸列強はアジア・アフリカに殺到し、植民地や勢力圏をうちたてた。この動きが帝国主義である。（『詳説　世界史』山川出版社、三〇九頁）

たとえばイギリスは、一八七〇年代にエジプトのスエズ運河の株式を買収し、インド帝国を成立させました。フランスも一八八〇年代に植民地拡大政策をとり、アフリカやインドシナ半島を次々と植民地にしていきます。

では、なぜ一八七〇年代から帝国主義の時代に突入したのか。このことを理解するためには、重商主義以降の世界経済史を押さえておくことが必要です。その理解があってはじめて、現在の国際環境を「新・帝国主義」と規定するアナロジーがわかるようになるのです。

重商主義の心理

一六世紀以降、資本主義は、重商主義→自由主義→帝国主義（独占資本主義）→国家独占

資本主義→新自由主義という形で変遷してきました。

重商主義とは、一六世紀に形成される絶対王政が実行した経済政策であり、国家が商工業を育成し、貿易を振興することをいいます。

初期の重商主義は他国の鉱山を開発して金銀を直接奪う重金主義、次に、貿易黒字による貨幣獲得を重視する貿易差額主義、そして国内輸出産業の保護育成をする産業保護主義の段階へと移っていきました。

重金主義の代表はスペインです。

一六世紀前半に、コルテスはアステカ帝国を征服し、ピサロはインカ帝国を滅ぼしました。スペインは、征服したアメリカ中南部で鉱山を経営し、金銀を直接獲得します。現地のインディオに奴隷労働をさせて、発掘した金銀を自国に持ち込んだわけです。

しかしスペイン王室は戦費と浪費で破産。金銀も無尽蔵ではないので、結果的に重金主義は廃れていきます。

一七世紀になると、重商主義の中心は外国貿易になります。つまり国家が輸出入を規制して、利益を吸い上げる。これが貿易差額主義です。

みなさんは高校の世界史で東インド会社について習ったことを覚えているでしょう。イギリスが一六〇〇年、オランダが一六〇二年、フランスが一六〇四年と、東インド会社が相次いで設立されました。東インド会社というのは、国家が特許状を与えて、貿易を独占的におこなう会社です。

貿易が活発になると、輸出産業を保護する必要が出てくるため、国内産業を保護する産業保護主義が中心となる。外国製品の輸入を禁止・制限したり、輸入品に高い関税をかけたりするのが産業保護主義です。

おおよそ、こういう流れで重商主義の具体的内容も移り変わっていくわけですが、ポイントは、国家が経済に強く介入して国富を蓄積していくことにあります。

重商主義の心理とはどういうものか。乱暴な話をすると、それは漁民の心理から考えることができます。漁民と農民は心理が違う。漁業の心理からすると魚はいわば一万円札が海のなかを泳いでいるようなもので、そこに網を掛ければいくらでも獲(と)れる。濡れ手で粟(あわ)という状況になってきます。

重商主義も同じです。海に出れば、儲(もう)けることができる。そこに国家がスポンサーになるのが重商主義なのです。

このような重商主義のメンタリティを皮膚感覚で理解するのに最適な文献は何かと言われたら、私は『ガリバー旅行記』を挙げます。ガリバーがなぜ大人国、小人国など、未知の国へ出かけたのかというと、珍しいものを持ち帰って、それを売りさばくことによって利益を得たいからです。

イギリス覇権の時代

この重商主義を最初に捨てたのは、いちはやく産業革命が起きたイギリスでした。

産業革命によって、産業資本家が強くなってくると、国家の規制が邪魔になってくる。そこで彼らは自由主義的な改革を要求し、一九世紀半ばには自由貿易を確立していきます。

この時期のイギリスは、圧倒的な海軍の力と経済力を持つ覇権国家でした。富も生産力もチャンピオンですから、よけいな規制などない自由競争が一番有利です。性能のいい自動車にとっては、スピード制限が邪魔なのと同じことです。

同時にイギリスは、帝国主義の時代に先駆けて、市場を拡大するため、アジア、ラテンアメリカ、アフリカに対して、一方的に自由貿易の強要や植民地化を進めていきます。

しかし一八七〇年代に入り、イギリスの圧倒的な力も翳りを見せるようになりました。

この時期、鉄鋼や内燃機関・電気などの分野で技術革新が起こり、重化学工業化が進みますが、イギリスは繊維工業が成功していたために、重化学工業への転換が遅かった。そのため、重化学工業という点では、ドイツのほうがイギリスよりも成長がめざましかったのです。さらに一九世紀末になると、アメリカが世界一の工業国になります。

いずれにしても、この時期から覇権国家であるイギリスの存在感は低下していきます。それと軌を一にして、イギリス主導の自由主義の時代は終わり、帝国主義の時代が訪れるのです。

資本主義はなぜ帝国主義に変容したのか

この自由主義から帝国主義への転換にあたって、資本主義には何が起きたのか。この変容を鋭く考察したのが、レーニン（一八七〇―一九二四）の『帝国主義』です。

レーニンは、ロシアのマルクス主義者で、革命家として一九一七年のロシア革命を成功させ、ソヴィエト社会主義連邦共和国を創設した人物です。

マルクス主義者ですから、レーニンの議論も当然、マルクスの『資本論』を踏まえている。しかしマルクスの『資本論』とレーニンの『帝国主義』の間には、大きな違いがあることを見逃してはいけません。

『資本論』で考察されるのは、国家が市場に干渉しない純粋な資本主義の世界です。それに対して、『帝国主義』では市場に介入する国家の機能が重視されているのです。

『帝国主義』のポイントを一言でいえば、独占資本が国家と結びついているところに帝国主義の特徴がある、ということです。

レーニンは『帝国主義』のなかで、帝国主義を次のように五つの段階を挙げて定義しています。

（一）経済生活のなかで決定的役割を演じている独占を創りだしたほどに高度の発展段階に達した、生産と資本の集積、（二）銀行資本と産業資本との融合と、この「金融資本」を土台とする金融寡頭制の成立、（三）商品輸出と区別される資本輸出がとくに重要な意義を獲得すること、(四) 国際的な資本家の独占団体が形成されて世界を分割していること。(五) 最大の資本主義的諸強国による地球の領土的分割が完了していること。帝国主義とは、独占と金融資本との支配が成立し、資本の輸出が顕著な意義を獲得し、国際トラストによる世界の分割がはじまり、最大の資本主義諸国による地球上の全領土の分割が完了した、というような発展段階における資本主義である。(レーニン〔宇高基輔訳〕『帝国主義』岩波文庫、一四五－一四六頁)

『帝国主義』でレーニンは、この(一)から(五)について、具体的な例を挙げて説明していきますが、これを嚙(か)みくだいて説明すると次のように整理できるでしょう。

(一) 資本の集積と集中によって、寡占(かせん)(独占)が出現すること

イギリス以外の欧米で産業革命が起きたのは一九世紀前半からです。ですから欧米諸国では、一九世紀なかごろに資本主義経済が確立したことになる。さらに一九世紀末になると、先述したように、めざましい技術革新によって、製鋼、電気、化学、石炭、石油といった重化学工業が発展していきます。

それにともなって、巨大な生産設備が必要になり、生産と資本の集積と集中、独占が進みます。すなわち、大企業が中小企業を合併・吸収して、生産面でも資本（設備や資金）面でも巨大企業による独占化が進んでいくわけです

このような巨大な企業は、国家に影響を与えるようになり、国家も外国との関係において、自国の資本を保護するようになります。

（二）産業資本と金融資本の結びつきで、金融資本の優位がもたらされること

同じことが銀行でも起こります。中小の銀行が大銀行に組み込まれ、大銀行（銀行資本）は大企業（産業資本）との結びつきを強める。さらに大銀行が巨大企業の株主になることで、企業を傘下（さんか）におさめてしまう。

レーニンは、株式の発行が金融分野における寡占を強めることを指摘していますが、証券市場が大衆化している現在の日本でも、機関投資家が圧倒的な影響力を持っていることは説明するまでもないでしょう。

（三）商品輸出と区別された、資本輸出が重要になること

資本輸出とは、外国の政府や企業に対して、借款、公債、社債などの形で資本を貸しつけたり（間接投資）、外国に工場や道路を建設したりすること（直接投資）です。間接投資の目的は、利子の獲得ですが、多くの場合、貸しつけた資金で、自国の商品を購入することを条件にします。

また、帝国主義国の資本が外国に投資されるのは、現地の安い労働力、安い土地、安い原料を用いて利潤を獲得するためです。翻って考えると、現在の日本政府も企業も、アジア諸国に資本輸出を積極的におこなっています。

（四）多国籍企業が形成され、国境の制約から生じる資本間の軋轢を回避すること

レーニンは、巨大企業が海外進出をするようになると、国境を越えた多国籍企業が生まれることに着目しています。資源や労働力は国際的に不均等に存在しているので、より効率よく生産するために、多国籍企業が生まれるのです。

多国籍企業の形成によって、資本は国境の制約から自由になりますが、これは国家機能の強化とは逆行する働きです。

（五）主要国による勢力圏の分割が完了していること

国家が強力な軍事力を背景にして、世界を植民地や保護領、自治領などに分割していくということです。

社会主義が資本主義の自己改革を促した

レーニンの議論を読むと、資本主義がいかに変容していくか、その姿がよくわかります。個人所有の会社が株式会社に発展し、やがて金融資本が中心になって帝国主義化する。そこでは商品ではなく、資本の輸出が主流になるわけです。さらに市場を求めて外国に進出しますが、対外進出は帝国主義国どうしの対立を引き起こし、それが第一次世界大戦に帰結していくことになります。

このレーニンの指導によって、第一次世界大戦中の一九一七年に起きたのが、ロシア革命でした。

ロシア革命によって、ソ連型の社会主義体制ができたことで、資本主義も再び変容します。具体的には、冷戦期の資本主義です。

どういうことかというと、帝国主義化した資本主義体制の国々は、戦後、社会主義革命を阻止するために、福祉政策や失業対策など、資本の純粋な利潤追求にブレーキをかけるような政策をあえてとるようになりました。利潤は多少減少しても、資本主義を守るためにはやむをえないというわけです。

つまり、国家という暴力が資本の暴力を抑えこみ、結果として労働者の利益になるようなことをするのですが、それは善意からではありません。資本主義システムを維持するほうが国家にとって得になるからこそそうするのです。

このような、国家が資本に強く介入する資本主義をマルクス経済学では「国家独占資本主義」といいます。

実際、冷戦下の一九五〇年代から一九七〇年代にかけて、資本主義陣営は前例のない経済的繁栄を迎えます。この時代をホブズボームは「黄金の時代」と呼びますが、「黄金の時代」は、同時に福祉国家の時代でもありました。国家の大規模な公共事業や手厚い社会福祉のもと、失業率は低下し、多くの労働者が豊かな生活を享受(きょうじゅ)できるようになったのです。日本の高度経済成長時代もこの時期に当たります。

みなさんは、社会主義は資本主義に対抗するものというイメージを持っているでしょう。しかし、それだけではありません。社会主義は結果から見ると、資本主義の自己改革を促す役割をも担っていたのです。

しかし、ソ連崩壊によって東西冷戦が終結した一九九一年以降、状況は一変しました。ここから、アメリカの覇権が完全に確立していく。そしてこの時期から、ヒト・モノ・カネが国境を越えて自由に移動するグローバル化が加速していくのです。

具体的には、福祉国家による行き詰まりから、「新自由主義」が主導権を握っていきます。新自由主義とは、政府による社会保障や再分配は極力排し、企業や個人の自由競争を推進することで、最大限の成長と効率のいい富の分配が達成されると唱える経済学的な立場を指します。

一九八〇年前後に、イギリスのサッチャー政権、アメリカのレーガン政権、日本の中曽根政権といった、新自由主義的な政権が次々と誕生し、八〇年代を通じてこの新自由主義はグローバリゼーションと結びつきながら、巨大な格差を生み出し続けることになりました。

新・帝国主義の時代はいつから始まったのか

しかし二〇〇〇年代に入って、ＢＲＩＣｓをはじめとした新興国の経済が急成長するにつれて、アメリカの存在感は低下します。

二〇〇一年九月一一日に起きた同時多発テロ事件、二〇〇八年秋のリーマン・ショックは、軍事と経済双方でアメリカの弱体化を世界じゅうに知らしめることになりました。

この二〇〇八年あたりを境に潮目が変わり、「新・帝国主義の時代」に突入したというのが私の見立てです。

リーマン・ショックの直前、二〇〇八年の八月にロシア・グルジア戦争が起きました。簡単に経緯を説明すると、まず、グルジアが自国内の南オセチア自治州の実効支配を回復しようとした。この南オセチア自治州には、ロシア軍が駐留（ちゅうりゅう）しています。

グルジアのサーカシビリ大統領は、当時のブッシュ政権とつながりが深かったため、南オセチア州でグルジア軍を展開してもロシアは黙認するだろうと希望的観測を持っていました。

しかし蓋(ふた)を開けてみると、グルジアに対して、ロシアは過剰とも言える反撃に打って出たのです。南オセチア自治州からグルジア軍を追い出すだけでなく、同州の外側のゴリ市(スターリンが生まれ育った場所です)を壊滅させた。さらに、シベリア、カスピ海の石油をヨーロッパに輸出する際の拠点である港町ポチを空爆するという始末です。

戦争の結果、ロシアは自らの安全保障を担保するために、南オセチアとアブハジアを「独立」させて緩衝(かんしょう)地帯をつくりました。

私は、このロシア・グルジア戦争後、国際秩序が根本的に変化したように考えます。すなわち、武力によって国境を変更しないという国際ルールがここで綻(ほころ)びを見せたのです。

オバマ政権の「見えない帝国主義」外交

二〇〇八年を境目として、世界が「新・帝国主義の時代」に突入したことの傍証となる事象はいくつでも挙げられます。

中国による尖閣諸島、南沙諸島、西沙諸島の領有権の主張や防空識別圏の設定しかり。ウクライナ危機やロシアによるクリミア併合しかり。

EU諸国もまた、旧宗主国であった東南アジアに次々と投資をして、影響力を強めています。

オバマ政権も目に見えない帝国主義の道を突き進んでいます。その象徴的な地域が南スーダンとミャンマーです。

二〇一一年に、石油資源が豊富な南スーダンを独立させたのはオバマ大統領の工作でした。そもそもその石油利権を開発しようとしたのは中国ですが、そこで無理をして、オバマは南スーダンにアメリカの傀儡（かいらい）国家をつくったわけです。中国だと石油開発で生じた資金がイスラム過激派に流れることを阻止できないという懸念もあったと思います。

ミャンマーは、二〇一二年にオバマ大統領が訪れてから、急に関係がよくなりました。ミャンマーは西側から見た場合、中国にとっての生命線です。日中戦争で、日本は蒋介石政権の中国と戦争をしました。蒋介石の国民政府は日本軍に押されて内陸部の重慶に移っていたのですが、当時、援蒋（えんしょう）ルートと呼ばれる物資搬入路があり、英領インドから兵器、食糧などが重慶に運ばれていました。このひとつがミャンマーを通っているのです。

つまり、オバマ政権はミャンマーを親米国にすることで往時の援蒋ルートを押さえ、アメリカの了承なくして中国を西側からインド洋に出られないようにし、イランからパイプラインを引くことも不可能にした。このような構図なのです。

覇権国家の弱体化が帝国主義を準備する

以上、世界史上の出来事を整理して、旧・帝国主義の時代から新・帝国主義の時代への大きな流れを辿(たど)ってみました。

この流れのなかに、どのようなアナロジーを見いだすことができるでしょうか。

大きなポイントは、自由主義の背後にはつねに覇権国家の存在があり、覇権国家が弱体化すると、帝国主義の時代が訪れるということです。

イギリスが覇権国家だった時代は、自由貿易の時代でした。しかし、イギリスが弱くなると、ドイツやアメリカが台頭し、群雄割拠の帝国主義の時代が訪れる。

その後、二回の世界大戦とソ連崩壊を経て、アメリカが圧倒的な覇権国として君臨するようになります。しかし、同時多発テロ事件やリーマン・ショックを経て、アメリカの弱体化が明らかになると、ロシアや中国が軍事力を背景に、露骨に国益を主張するようになる。その結果、かつての帝国主義を反復する「新・帝国主義の時代」が訪れているのです。

新旧の帝国主義の相違点

ただし、現代の新・帝国主義は、かつての帝国主義とは異なります。

一九世紀末から二〇世紀初頭まで、欧米の帝国主義列強は軍備拡大を競い、植民地を求めて抗争を繰り返しました。その結果が第一次世界大戦です。

これに対して、二一世紀の帝国主義は植民地を求めません。それは人類が文明的になったからではなく、単に植民地を維持するコストが高まったからです。また、新・帝国主義は全面戦争も避ける傾向を持つ。全面戦争によって、共倒れになることを恐れるからです。植民地を持たず、全面戦争を避けようとするのが、新・帝国主義の特徴です。

しかし、新・帝国主義になっても、外部からの搾取(さくしゅ)と収奪により生き残りを図るという帝国主義の本質や行動様式は変わりません。

帝国主義国は、相手国の立場を考えずに最大限の要求をつきつけます。それに対して、相手が怯(ひる)み、国際社会も沈黙するならば、帝国主義国は強引に自国の権益を拡大します。

これに対して相手国が抵抗し、国際社会からの非難も強まると、帝国主義国は譲歩し、国際協調に転じるのです。これは帝国主義国が反省したからではありません。それ以上、一方的に自国の権益を主張すると、国際社会の反発が強まり、結果として自国の損をまねくことを計算に入れるからです。

ここから何が言えるかというと、帝国主義が、国際協調から再び牙(きば)をむく方向へ路線を変更する危険性がつねにあるということ。相手国が弱体化し、国際世論の潮目が変わって、自国の権益を拡張する機会をつねにうかがっているわけです。

グローバル化の果てに国家機能は強化される

ここで、もう一つの重要なアナロジーを指摘しておきましょう。それは、帝国主義の時代に国家機能は強化されるということです。

国家機能が強化される大きな要因として、グローバル化が挙げられます。

一九世紀後半もグローバル化の時代でした。一九世紀は「移民の世紀」と呼ばれ、数千万人というかつてない規模の移民が生まれました。国境を越えた資本の移動も活発になります。

ところがグローバル化が進むにつれて、欧米列強は権益拡大のため、独占資本と結びついて、力による市場拡大と植民地化をめざすようになりました。

冷戦崩壊後も同じです。

国家には暴力性が強まる時期と希薄になる時期がある。冷戦崩壊以降、経済のグローバル化が進むなかで、国家の介入が薄まったのは事実です。しかし、だからといって、世界がフラット化して、純粋な資本主義だけの経済環境になるかというと、そうはなりません。むしろグローバル化が極端に進んだ現在は、ベクトルは国家の機能強化に向かっているのです。

国家の生存本能からすると、グローバル化は自らの存立基盤を危うくします。なぜならグローバル資本主義が強くなりすぎると、国家の徴税機能が弱体化するからです。

たとえば多国籍企業は、できるだけ税金を取られないように、英領ケイマン諸島など法人税率の低い租税回避地（タックスヘイブン）にペーパーカンパニーを設け、そこに収益をまわすようにするでしょう。

徴税機能の弱体化は国家の成立基盤を危うくするので、各国とも国家機能の強化に傾いていきます。事実、二〇一三年のG8サミットでは、多国籍企業の税逃れを防ぐための国際協調が首脳宣言に盛り込まれました。

国家は、自己保存の機能を本質的に持っています。自己保存のためには、暴力を行使することも厭(いと)いません。

グローバル経済が浸透した結果、先進国の国内では格差が拡大し、賃金も下がっていく。それは社会不安につながります。国内で社会不安が増大するとき、国家は国家機能を強化する。その意味で、グローバル化の果てに訪れる帝国主義の時代に、国家機能が強化されるのは必然といえるでしょう。

日本が武器輸出三原則を緩和した理由

では、日本はどうか。

日本もまた、新・帝国主義の時代のプレイヤーであることに変わりはありません。そのことを実証する具体的な例を挙げておきましょう。

それは、武器輸出三原則の緩和による潜水艦の売り込みです。

日本の潜水艦は、ディーゼル潜水艦のなかでは世界でもっとも高性能です。では現在、潜水艦を買いたがっている国はどこか。オーストラリアです。オーストラリアは兵器体系が古い。というのも、オーストラリアが直接、他国から攻められた脅威というのは、第二次世界大戦中に、日本が空爆したときだけだからです。それ以降、オーストラリアは外敵の侵略を受けたことがありません。

しかしいま、中国が海軍力を増強しているため、オーストラリアも海軍強化の必要に迫られている。とくに中国が太平洋艦隊を強化して航空母艦を持つということになると、潜水艦が必要になります。

ところがオーストラリアはアメリカから潜水艦を買うことはできません。アメリカはもう原子力潜水艦しか造ってない。ディーゼル潜水艦を造っていないわけです。オーストラリアは非核化政策をとっています。そのため、原子力潜水艦を購入することは国策としてできません。

では、どうすればよいか。通常の潜水艦を売っているのは、世界ではドイツ、オランダ、それからスウェーデンですが、サイズや性能の面で、中国への対策にはなりえない。太平洋を股にかけて動けるディーゼル潜水艦を造っているのは、ロシアと日本しかないのです。でも、安全保障上の理由から、ロシアの潜水艦を買うわけにはいかない。

そうすると、必然的に日本しか選択肢はありません。

だからこそ日本は、武器輸出三原則を緩和することによって、オーストラリアに潜水艦を売ることにした。これが新・帝国主義の時代の外交なのです。

このようにして新・帝国主義は、経済の軍事化と結びつくことになります。

2　資本主義の本質を歴史に探る

すべては「労働力の商品化」から

ここからは、資本主義の本質というものを考えてみることにしましょう。そのことで、新・帝国主義の時代の理解もさらに深まっていくはずです。

資本主義の起源や本質については、数え切れないほどの主張や分析が出ている。しかし私の見立てでは、首尾一貫して資本主義を説明することができているのは、いまのところ一つだけです。

それは、マルクス経済学です。

これから私が資本主義について説明することも、基本的にはマルクスの『資本論』と、『資本論』を解釈した宇野弘蔵（一八九七―一九七七）の経済学をベースにしています。宇野経済学をセレクトした理由は、宇野が社会主義イデオロギーを排除して、資本主義が成り立つ論理を純粋に見極めたから。

かつて私が仕事をしていた外交の世界では、特定の対象を分析するときには、イデオロギーに目を眩まされずに、相手や対象がどんな意図や論理で行動しているのかを把握するのが重要でした。これを「対象の内在的論理を知る」と表現します。

宇野もまた、資本主義の内在的論理を見極めたのです。

さて、最初にもっとも重要なことから説明しましょう。マルクスは、資本主義社会の本質は何であると考えたのか。

答えは「労働力の商品化」です。

労働力の商品化には、二重の自由がないといけません。第一に、身分的な制約や土地への拘束から離れて自由に移動できるということ。これは契約を拒否できる自由を持っているということでもあります。第二に、自分の土地と生産手段を持っていないこと。これを「生産手段からの自由」と呼びます。

土地に縛りつけられず、自由に移動できる。でも、自分の土地や生産手段は持っていない。たとえば、日本の大卒の学生にはみな「二重の自由」があります。こういう人はどうやって生活するか。自分の労働力を商品化する、つまり労働力を売って生活するのです。

では、そのときに労働力の価値である賃金はどう決まるのでしょうか。それには三つの要素があります。

たとえば一か月の賃金だったら、一つは、労働者が次の一か月働けるだけの体力を維持するに足るお金でなければならない。食料費や住居費、被服費、それにちょっとしたレジャー代などが相当します。

二つ目は、労働者階級を再生産するお金です。つまり家族を持ち、子どもを育てて労働者として働けるようにするためのお金が賃金には入っていないといけません。

三つ目は、資本主義社会の科学技術はどんどん進歩していきますから、それにあわせて自分を教育していかなければいけない。そのためのお金が必要になります。

賃金は、以上の三つの要素によって決まります。この考え方はマルクスの最大の貢献でした。いまだに打ち破られていない重要な基礎理論です。

なぜイギリスで「労働力の商品化」が起きたのか

以上を踏まえて、近代資本主義がいかに成立したのか、世界史のなかからそのプロセスを探っていくことにしましょう。

世界史上、労働力の商品化はいつ、どこで、どのようにして起きたのか。

結論から言うと、労働力の商品化は歴史的偶然によってイギリスで起きました。きっかけは、一五〜一六世紀に起きた「囲い込み（エンクロージャー）」です。

この時期、ヨーロッパは大変な寒冷期のただなかにありました。そのため、ヨーロッパ全域で毛織物の需要が急激に高まりました。

おりしも、そのころのイギリスは毛織物産業の成長期でした。羊毛でセーターやコートをつくると、飛ぶように売れる。セーターを大量につくるためには大量の羊毛が必要になります。そのためにイギリスでは領主や地主が農民を追い出して、羊を飼い始めた。このとき、農地の周りを生け垣や塀で囲って牧場に変えたので「囲い込み」というわけです。追い出された農民たちは、都市に流れていきました。彼らは、身分的制約がなく、土地や生産手段も持っていない。さきほどの「二重の自由」にあたります。つまり、もう自分の労働力を売るしかない。そこで彼らは、毛織物工場に雇われていきました。

これがイギリスで起きた「労働力の商品化」です。

労働力を商品として買うのは、もちろん資本家です。資本家が時給一〇〇〇円で労働者を雇うのはなぜか。それは一〇〇〇円で労働者を雇うことで、それ以上のお金を儲けられるからです。

たとえば、一〇〇〇円で労働者を雇って、一五〇〇円の儲けが出る。この五〇〇円は資本家に入る。二〇〇〇円の儲けが出れば、一〇〇〇円が資本家の懐に入ります。いくら儲けても、賃金は先述の三つの基準で決まり、それ以上のお金が労働者に分配されることはありません。賃金は労働者階級の再生産に必要な額が支払われるだけであって、労働者の賃金は資本家からの分配ではないのです。

これがマルクスの『資本論』のポイントです。

なぜスペインで資本主義が生まれなかったのか

このように、労働力の商品化が成立すれば、資本家と労働者の間でそれを売買する資本主義システムが動き出します。そうして利潤は増えていき、労働者が再生産されることで、資本主義が回っていくことになるわけです。

結局のところ、ある偶然的な事情でイギリスの毛織物産業だけで成立した事象が、他の産業も全部席巻(せっけん)してしまった。それが近代資本主義の正体だと考えるのが適切です。したがって、労働力の商品化がおこなわれる限りにおいて、西欧諸国でも仏教国でもイスラム諸国でも、資本主義は成り立つ。資本主義に普遍的な傾向があるのは、そのためです。

では、旧ソヴィエト連邦や北朝鮮はどうなのか。

これらの国では、労働力は商品化されていません。北朝鮮には移動の自由がない。国からここで働けと言われたときに、それ以外のところで働く自由がありません。旧ソ連でも同様でした。だから、労働力の商品化はおこなわれていません。国家による強制労働があるだけです。

資本主義について、こんな疑問を持つ人もいるかもしれません。

大航海時代にスペインとポルトガルは、新大陸から大量の金銀を奪ってきた。では、なぜそこから資本主義が生まれなかったのか、と。

いろいろな原因があるでしょう。そのなかでもっとも重要な要素は、スペインやポルトガルの金持ちは、浪費したうえに、最後は金銀を修道院や教会に寄進してしまったという点です。永遠の命を保証してほしいとか、天国に入る権利がほしいというと、カトリック教会はどんどんお金を受け取ります。そのお金で、新しい豪華な教会を建てたり、飲み食いをしたりして消費してしまう。だから産業資本という形の富が蓄積されなかった。

スペインの後、海上の覇権を握ったのはオランダです。オランダは富を蓄積しました。それでも資本主義の最先進国にはなれなかった。なぜかというと、これは地理的要因が大きかった。もし、当時のオランダが羊の生存に適した羊毛産業のできる風土だったら、オランダで先に労働力の商品化が起きていたかもしれません。

イギリスは牧草を育てるのに適した土地があったことに加え、スペインやポルトガルがカトリックの国であったのと異なり、カルヴァン派のプロテスタンティズムが入っていたため、独特のエートス（倫理）があり、禁欲的に富を蓄積してそれを再び投資に向けることができました。

つまり、工場を建てて機械を導入し、商品化された労働力を買って、儲けを出す仕組みを生み出すことができたということです。

インドのキャラコが産業革命を生んだ

囲い込みの話をしたので、産業革命についても触れておきましょう。

イギリスでは、重商主義が富の蓄積を可能にし、囲い込みが労働力の商品化を成立させました。しかし、これだけでは産業革命は起こりません。

産業革命とは、技術革新によって機械での大量生産が可能になったことをいいます。それは一八世紀後半のイギリスの綿工業で始まりました。

先ほど、囲い込みの説明をしたときに、イギリスは毛織物産業の成長期だったと言いました。実際、一六、一七世紀のイギリスでは毛織物はもっとも重要な産業でした。

潮目が変わったのは、一六〇〇年に東インド会社が設立され、インドとの貿易が始まってからです。すると、インドからキャラコと呼ばれるインド綿布が輸入され、一七世紀後半以降、イギリスで爆発的な人気になりました。

キャラコは毛織物に比べて、軽くて吸湿性も高い。洗濯もしやすいということで、ドレスや下着、テーブルクロスなど、さまざまな布製品で使われました。

国内の毛織物業者にとっては、キャラコは脅威です。キャラコばかりが売れてしまったら、商売が干上がってしまう。それが政治問題となって、議会はキャラコの輸入禁止や使用禁止の法律を制定しましたが、それが裏目に出て、よけいにキャラコは売れてしまった。

こうなれば、キャラコに対抗するにはイギリスでも綿布をつくるしかない。しかもキャラコとの競争で勝つためには、大量に生産して安く売らなければいけない。このキャラコという外からの輸入品に勝つために始まったのが産業革命であり、紡績機や織機が次々に発明されたのです。

しました。

恐慌は資本の過剰から起きる

一八世紀のイギリスで確立した資本主義のルールが自由主義であったことはすでに説明しました。

いちはやく産業革命によって圧倒的な工業力を持ったイギリスは、「世界の工場」と呼ばれ、一九世紀半ばまで繁栄をほしいままにします。

しかし、一八七三年に欧米がかつてない大不況に見舞われ、イギリス経済も大打撃を受けました。倒産や失業も拡大します。この七三年に始まる大不況は、小さな恐慌を繰り返しながら九六年まで続きます。

不況ですから、モノが売れません。同時にこの時期は、重化学工業が勃興する第二次産業革命の時代と重なりますから、レーニンが分析したように生産と資本の集中が進み、独占資本主義になっていきます。

すると、どうなるか。

巨大企業は国家と結びついて、海外市場や植民地を拡大しようとします。つまり、一八七三年の大不況がひきがねとなって、欧米列強の帝国主義は急速に形成されていったわけです。

ここで恐慌についても、簡単に説明をしておきましょう。

恐慌については、過剰生産説とか過少消費説とかさまざまな説があります。もっと古いところでは、太陽黒点説というものもある。一九世紀の後半に提唱された説で、太陽の黒点活動と景気循環が連動しているという理論でした。

そのなかで、私が見る限り、恐慌について一番説得力があるのは、宇野弘蔵が唱えた資本の過剰説です。

資本の過剰とは何でしょうか。

資本主義経済のなかでは、モノがどんどん売れるようになると、どんどん生産しないといけません。生産を増やす場合、材料はすぐに買ってくることができますが、すぐに買えないものがある。それが労働力商品です。

そうするとどうなるでしょうか?　労働力の価値が高まるので、労働賃金が上がります。

しかし、ある程度まで賃金が上がると、生産をしても儲からなくなってしまい、恐慌が起こるわけです。

これをマルクス経済学の用語で「資本の過剰」といいます。つまり、お金はあるけれども、労働力商品が高くつきすぎて、商品をつくっても儲からない。近代経済学で言うコスト・プッシュです。

生産しても儲からないのでは意味がありません。そこで資本家は、労働者を雇わなくなったり、雇ったとしても、倒産したりすることになります。

その後、どうなるか。会社のなかで頭のいい人がイノベーションを起こすのです。いかにして自分の会社が労働力を使わないで、同じ商品をつくれるかと考え、機械化をしたり生産工程を変えたりして、より少ない労働力で生産できるようにする。

そうすると、このイノベーションを起こした会社は、その技術革新が普及するまでの短期間は一人勝ちすることができます。

その後、他社にも同じようにイノベーションが広がっていくと、産業全体で生産性が上がるので、再び好況になります。しかし好況によって賃金が上がるから、また恐慌になる。

こういうふうに恐慌とイノベーションを繰り返して、資本主義はあたかも永続するかのごとく続いていく。これが宇野弘蔵の考え方であり、資本主義社会の内在的論理なのです。恐慌は社会的な負担が大きいから、いかにして恐慌を避けるかということが近代の資本主義の課題になっていきます。もっともわかりやすい恐慌回避策は戦争です。

アメリカで第二次世界大戦後、本格的な恐慌が起きていないのはなぜか。それはアメリカの公共事業に戦争が組み入れられているからです。朝鮮戦争、ベトナム戦争はアメリカの公共事業であり、それに協力した日本も、すくなくともバブル崩壊以前は恐慌に近い不況を経験していません。

保護主義の台頭

不況に見舞われたイギリスは、一八七〇年代から積極的に植民地拡大を目指すようになりました。その旗振り役となったのが、保守党のディズレーリです。

ディズレーリは首相として一八七五年にスエズ運河の株式を買収し、エジプト植民地化の足がかりをつくりました。一八七七年にはインド帝国を成立させ、直接の支配下に組み込みます。

さらに一九世紀末には、南アフリカ戦争を仕掛け、南部アフリカ一帯を植民地化しました。

一方ドイツやアメリカは、この不況に対して、関税率アップなど、保護貿易を強化することで自国産業の発展を推進します。その結果、工業生産ではイギリスを凌駕（りょうが）するようになりました。さらに両国は、一八九〇年代から海外進出を図っていく点でも共通しています。

帝国主義の時代に、保護主義が台頭するということも、現代の新・帝国主義をとらえるうえで有用なアナロジーとして使えます。

現在、アメリカ、イギリス、ドイツ、フランスなどの先進資本主義国は、口先では「自由貿易体制の擁護」を唱えつつ、狡猾（こうかつ）に保護主義への転換を図っています。

ロシアのプーチン首相は、ユーラシア共同体の創設を提唱していますが、これは大東亜共栄圏型の経済ブロックです。

ＴＰＰ（環太平洋戦略的経済連携協定）も本質はブロック経済です。アメリカが本気で自由貿易を追求するならば、世界的規模でWTO（世界貿易機関）システムを強化すればいいはずです。自由貿易という普遍的システムのなかで、アジア太平洋地域という限定された領域にTPPという特別のゲームのルールを適用させるという発想自体が、広域を単位とする保護主義だと考えたほうがいいでしょう。

日ロの教科書に見る「第一次世界大戦の原因」

一八七〇年代に始まる帝国主義列強の対立は、最終的には第一次世界大戦に帰結します。

第一次世界大戦は、一九一四年六月二八日、ハプスブルク帝国（オーストリア＝ハンガリー二重帝国）の皇太子フランツ・フェルディナント夫妻が、サラエヴォ（当時オーストリア領、現ボスニア・ヘルツェゴヴィナ）でセルビアの民族主義者の青年によって暗殺されたことがきっかけとなって始まったといわれています。

しかし、さまざまな研究が積み重ねられた現在でも、真の原因はわかっていません。

では、歴史教科書にはどのように記述されているでしょうか。世界史の教科書から、該当箇所を引用してみます。

第一次世界大戦は、植民地・従属地域をめぐる列強間の帝国主義的な対立を背景に、イギリスとドイツの覇権争いからはじまった。しかし、大戦が長期の総力戦になって、参戦各国に大きな社会変動と国民の意識の変化をもたらすと、古い政治体制や、自由主義的な社会・経済政策は根底からゆらいだ。ヨーロッパ列強は、領土や利権配分を中心とする秘密外交から抜け出せなかったが、ソヴィエト=ロシアやアメリカ合衆国は新しい戦後の国際秩序の理念を提唱して、人々の期待を集めた。大戦の結果、国民多数の合意に基づく政治が主流になり、国家が強い力で経済に介入し、社会政策を指導する傾向が強くなった。また、大戦による破壊と多数の人命の損失は、ヨーロッパ中心主義の考え方や、歴史の進歩観、近代科学や技術への楽観的信頼をゆるがし、アジア・アフリカの植民地の人々の自立への自覚と期待も高めた。(前掲『詳説　世界史』、三三五頁―三三六頁)

『詳説　世界史』では、「イギリスとドイツの覇権争い」が第一次世界大戦の大きな原因として指摘されています。ただし、イギリスとドイツのどちらかに原因があるという形では書かれていません。

第二次世界大戦の場合、ナチス・ドイツの侵略という明確な原因があることを考えると、第一次世界大戦はやはり原因を特定しづらいのです。

ここで、比較対象として、ロシアの中学・高校生向けの歴史教科書を参照してみましょう。ロシアの歴史教科書は、第一次世界大戦について次のように記述しています。

ヨーロッパの主要大国間の対立と勢力圏をめぐる闘いは、公然とした衝突へ到ることになった。(……)

戦争は、全ヨーロッパ的な性質を帯びた直後に、全世界的なものへと変わった。この戦争には38ヵ国、15億以上の人々が巻き込まれた。参戦国は自国の目的を追求し、世界的衝突の勃発に対する責任の一端を負った。

しかしながら、原因の多くは、ヨーロッパや世界の再分割をもくろんだドイツ・オーストリア・ブロックにある。ドイツは戦争に対する準備ができていた。ドイツのこの計画は、まずフランス、その後ロシアを粉砕し、ロシアのバルト海沿岸地域とポーランド諸県、フランスのアフリカ植民地の一部を併合し、トルコや中近東に強力な地盤を作るというものであった。オーストリア＝ハンガリーは、バルカン諸国を支配下に置こうとしていた。（『ロシアの歴史【下】』明石書店、二九八頁）

ここでは、原因の多くはドイツ・オーストリア・ブロックにあるとはっきり断定しています。ロシアは三国同盟（ドイツ、オーストリア、イタリア）と対立する三国協商（ロシア、フランス、イギリス）の一員であり、大戦ではドイツに敗北を重ねていました。そのため、ロシア革命によって成立したソヴィエト政権は、ドイツに対して単独講和を結んだのです。

この記述からは、ロシアに正当性があるというスタンスが明確にうかがえます。

日本とロシア両方の教科書を読み比べてみたのは、同じ歴史的事象についても、異なる見方があることがはっきりとわかるからです。

日本の教科書が価値観をほとんど出さず、必要な要素を漏らさないような記述になっているのに対して、ロシアの教科書はロシアの立場を正当化する価値観が強く出ています。

このように、歴史教科書を読み比べることは、歴史の立体的な理解に役立ちます。他国の歴史教科書についてはこの章の最後でもう一度ふれるほか、本書の要所で何度か言及します。

「戦争の時代」とドイツ問題

私自身は、ロシアの教科書の記述も一定の説得力を持っていると考えます。というのも、一九一四年を起点とする「戦争の時代」というのは、結局ドイツの問題に帰着するからです。

西欧のなかでドイツは後発の資本主義国でした。しかし、帝国主義の時代に入って、重化学工業の産業化に成功し、イギリスを超える工業国となりました。さらに、一八八八年にヴィルヘルム二世が皇帝になると、海軍の大増強をはかり、イギリスとの「建艦競争」を展開します。

ヴィルヘルム二世の強引な帝国主義政策は、彼が皇帝に就任する前にドイツを仕切っていたビスマルクのそれとは対照的なものでした。

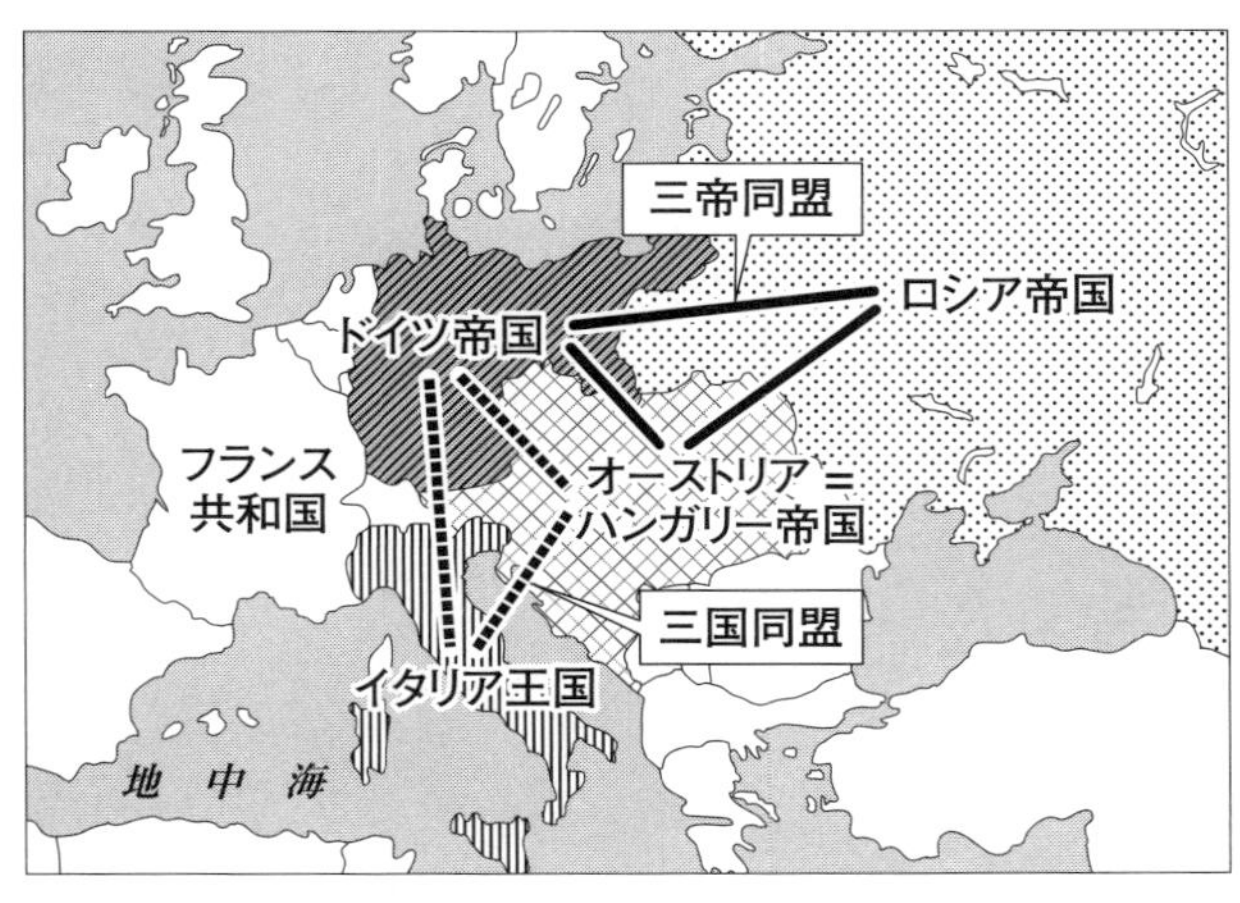

19世紀後半のヨーロッパ

ビスマルク外交のポイントは、フランスの孤立化です。

普仏戦争に勝利して、ドイツ帝国が成立した後のビスマルクは、フランスを孤立させることで、ドイツの安全保障を確保します。オーストリア、ロシアと結んだ三帝同盟、オーストリア、イタリアと結んだ三国同盟を地図上で見ると、フランスが孤立していることがはっきりとわかる。しかし、ビスマルクは海外侵略や戦争には消極的で、もっぱら外交によってヨーロッパの安定を図ろうとしました。

このビスマルク外交からヴィルヘルム二世の「世界政策」への転換が、その後のドイツの運命を大きく変えたと言っていいでしょう。

イギリスとの軍拡競争の末に、第一次世界大戦に突入したドイツは結局敗戦し、一三二〇億マルクという多額の賠償金を課されました。

第一次世界大戦後の戦間期にナチスが登場し、第二次世界大戦に突入しますが、ここでも再び敗戦。そして東西ドイツ統一を経て、いまはEUの実質的なリーダーとなっています。

結局、二〇世紀の大きな課題は、ドイツという大国をどのように世界に糾合（きゅうごう）するのかということでした。しかし私の見立てでは、EUができてもドイツの糾合には失敗しています。なぜなら、ユーロ危機以降、経済的にはドイツだけが一人勝ちし、それ以外のヨーロッパ諸国とは利益相反になっているからです。その意味でも、「戦争の時代」である二〇世紀はまだ終わっていないのです。

新・帝国主義の時代に戦争は回避できるか

一九世紀末の旧・帝国主義は、戦争を回避することができませんでした。

では、これをアナロジカルにとらえ、現代の新・帝国主義においても世界戦争は不可避だと考えたほうがいいのでしょうか。

先述したレーニンは、不可避だと考えます。しかし、レーニンの『帝国主義』の種本となっている、イギリスの経済学者ジョン・アトキンソン・ホブソン（一八五八―一九四〇）の『帝国主義論』では、一定の条件で戦争は回避できると書かれています。

ホブソンは、自由党員で、帝国主義、軍国主義を批判する平和主義者ですが、そのシナリオは、帝国主義間の勢力均衡（きんこう）をめざすというものでした。たとえば、アングロ・サクソン連合、汎（はん）ゲルマン連合、汎スラブ連合、汎ラテン連合などの広域化した帝国主義国家連合を形成して、世界規模で勢力均衡をとるというアイディアです。

キリスト教世界がこのようにそれぞれ非文明的属領を従者としてもつ少数の大連合帝国に区画（くかく）されることは、多くの人にとっては現在の傾向の最も正当な進展であり、且（か）つ、国際帝国主義の確実な基礎の上に、永久平和の最善の希望を提供するものと思われる。（ホブスン［矢内原忠雄訳］『帝国主義論』（下）岩波文庫、二六五頁。引用に際し、旧

漢字は新漢字にあらため、ルビを補った）

この発想を現下の新・帝国主義に適用することはできるでしょうか。

具体的には、現在の世界がヨーロッパ連合、スラブ連合、アメリカ大陸連合、中東連合、アジア連合のような形で分割され、勢力均衡状態がつくられるか、ということです。

そういった動きが顕在化していることはたしかです。事実、ＥＵとは「広域帝国主義連合」ですが、経済的な優劣から見た場合、その本質はドイツ帝国主義です。プーチンはユーラシア同盟を本気で構想しています。

ただし、その一方で、アメリカの覇権的地位が低下しているとはいえ、その軍事力は圧倒的です。アメリカが全世界の警察となり、国際秩序の安定を導くというのは幻想だとしても、アメリカが世界最強の軍事力を持つ国家であることを過小評価してはいけません。

「破綻（はたん）国家」のテロリストグループがホワイトハウスを占拠して、大統領を人質にとるという荒唐無稽（こうとうむけい）なストーリーのハリウッド映画がありました。これはあくまでお話です。たとえば、アメリカ以外のすべての国で軍事同盟をつくって、ワシントンに侵攻しようと思っても、アメリカに上陸することすらできないでしょう。それぐらいの軍事的な強さをアメリカは持っているのです。だから、アメリカがアメリカ大陸だけの警察官になるようなことはありえない。

しかしそのアメリカですら、アフガニスタン、イラク、中央アジアの小さな国でさえ制圧することはできない。この二つの現実を踏まえたところに、現在の新・帝国主義が置かれている状況があるわけです。

帝国主義時代の二つのベクトル

帝国主義の時代には、かならず二つの異なったベクトルが働きます。一つはグローバル化であり、もう一つは先述したとおり、国家機能の強化です。

グローバル化のベクトルは、経済的には実物経済より金融を優先する金融資本主義となって現れます。すでにレーニンの指摘として見たとおり、一九世紀末の帝国主義の時代もそうでした。

グローバル経済では、企業も金融も巨大化していきますから、組織も人も、少数の勝者だけしか豊かになれません。

アベノミクスによる円安株高の恩恵を受けられるのは、巨大な輸出企業と金融資産を持っている富裕者層に限られるのと同じことです。

そうなると、労働者階級の再生産もできなくなる。つまり、貧乏人は結婚も出産もできない。貧困の連鎖が続き、中産階級が育たないので、国力も低下する。

私がいまもっとも懸念しているのは、現在の日本が、明治維新以降、初めて教育の右肩下がりの時代に突入してしまったことです。たとえば日本を含め二五か国が加盟しているOECD（経済協力開発機構）の二〇一三年度の統計では、日本の教育関連費は加盟国中最下位でした。その理由は明白で、教育システムに新自由主義が組み込まれてしまったからです。

失われた二〇年でデフレから脱却できないなか、学費だけは上がり続けました。そのため、いまの親世代は自分が受けた教育を、子供に与えることが難しくなっています。質の面でも、効率性を求め過ぎるあまり、巨視的に物事をとらえる教養はほとんど身につかずに、高等教育を終えることになります。

この状態が続けば、高等教育の初期段階で頭脳流出が生じる可能性も低くありません。ヨーロッパの高等教育機関は外国人を含めて奨学金が充実していますから、教育の質の面まで考えれば、海外の大学に行ったほうがいいと判断する人も出てきます。

少子化のなかで頭脳流出が起きれば、国力はかならず弱ります。ですから、国内で待ったなしの問題は、教育と移民だというのが私の考えです。

3 イギリスの歴史教科書に帝国主義を学ぶ

金融資本主義に対する三つの処方箋

前節の最後で、金融資本主義の負の帰結について述べました。

一九世紀末から戦間期にかけて、金融資本主義が引き起こした貧困や社会不安に対して、大きく三つの処方箋が提出されました。

一つ目は、外部から収奪する帝国主義です。イギリスが植民地主義の拡大に踏み切ったのは、不況に見舞われ、国内に貧困問題や社会不安を抱え込んでいたからです。

イギリスの南アフリカ植民地の首相をつとめたセシル＝ローズ（一八五三―一九〇二）は、「貧民による内乱を欲しないならば、われわれは帝国主義者とならなければならない」という発言を残しています。イギリス帝国主義は、外部を収奪することによって、国内問題を払拭（ふっしょく）できると考えていたわけです。

二つ目は、共産主義という処方箋です。社会主義革命を起こし、資本主義システムを打倒することで、社会問題を一挙に解決する。もちろん、この処方箋が失敗に終わったことは歴史が証明済みです。

三つ目は、ファシズムです。ファシズムとナチズムがまったく異なるものであることに注意してください。ナチズムは、アーリア人種の優越性というデタラメな人種神話でつくられた運動です。

それに対して、一九二〇年代にイタリアのムッソリーニが展開したファシズムは、共産主義革命を否定すると同時に、自由主義的資本主義がもたらした失業、貧困、格差などの社会問題を、国家が社会に介入することによって解決することを提唱しました。国家が積極的に雇用を確保し、所得の再分配をする。

ムッソリーニが「イタリアのために頑張る者がイタリア人」と言ったように、ファシズムは、人々を動員することで、みんなで分けるパイを増やしていく運動なのです。

これら三つの処方箋のうち、共産主義革命には現実性がありませんから、日本の選択は帝国主義とファシズムを織り交ぜて、アイロニカルに述べるならば、「品格ある帝国主義」を志向しなければならないということになるでしょう。

ゲシヒテとヒストリー

品格ある帝国主義を学ぶうえで、絶好のテキストはイギリスの歴史教科書です。

先にもロシアの歴史教科書の記述を紹介しましたが、歴史教科書を読み比べることには、歴史の立体的な理解に役立つこととあわせて、もう一つ重要な意義があります。

それは、その国の内在的論理を把握できることです。

教科書には、その国が生徒にどの程度の知識水準を求めているのか、あるいは、教科書検定制度を持つ国の場合は、国家がどのようなスタンスで教育に取り組んでいるのかが明確に表れています。たとえば、ロシアの歴史教科書には先述のとおり、ロシアの立場を正当化する価値観が強く出ていました。

歴史にはドイツ語で「ゲシヒテ（Geschichte）」と「ヒストリー（Historie）」という二つの概念があります。後者は、年代順に出来事を客観的に記述する編年体のこと。対して前者のゲシヒテは、歴史上の出来事の連鎖にはかならず意味があるというスタンスで記述がなされます。たとえば、歴史とは啓蒙によって高みへと発展していくプロセスであるという視点で記述されるのです。

ロシアの歴史教科書は、ソヴィエト崩壊後の国家統合の危機を克服するために、確固としたロシアの物語を打ち出すゲシヒテなのです。

失敗の研究

では、イギリスの歴史教科書はどうでしょうか。

ロシアの歴史教科書と同じシリーズで、明石書店から翻訳版が出版されており、『帝国の衝撃（*The Impact of Empire*）』というタイトルがついています。この教科書は一一歳から一四歳までの中等教育を受ける生徒向けで、一五〇頁程度の薄さなので、すぐに読めるでしょう。

「帝国」という言葉が示すように、扱われているのは、アメリカへの植民から植民地経営を断念する「帝国の終焉」までの時代であり、イギリスによる帝国経営に焦点を絞った構成になっています。

内容も非常にユニークです。たとえば、インド総督マウントバッテン卿に、インドから撤退することをすすめる手紙を書くことが課題として求められている。生徒に網羅的な知識を身につけることを要求せずに、徹底的に考えることと書くことを求めているのです。

こうした視点からの問いが随所に見られます。さらにユニークな例を挙げると、終章では「なぜ支配された人々の視点から書かれた章がないのか」「なぜこの本には女性が登場しないのか」といった、想定される批判の声がいくつか紹介されています。つまり、教科書の編者自身が教科書のありかたを相対化しようとしているわけです。

これらの例からもわかるように、この教科書は徹頭徹尾、イギリス帝国主義の「失敗の研究」という点に重心が置かれています。

旧・帝国主義による植民地支配は、世界中に災厄をもたらし、憎しみを残した。なぜ、イギリスは誤ってしまったのか。一見、「自虐史観」のようですが、そうではありません。イギリスも、現在の国際社会が帝国主義のゲームの渦中にあり、否応なくそこに巻き込まれていることを認識しています。しかし、かつてのように植民地主義による帝国主義モデルは失敗することも強烈に自覚している。だから、その失敗の歴史を通じて、新・帝国主義の時代のイギリスのあり方を構想することを教えようとしているわけです。

イギリスの歴史認識に学べ

イギリスの歴史教科書もゲシヒテですが、ロシアのそれとは正反対の方向を向いています。

歴史認識としては、どちらが強いでしょうか。

言うまでもなく、イギリスのほうです。なぜなら、自らの弱さを自覚したうえで、新・帝国主義の時代への対応を模索しているからです。

先ほど、日本の教科書が価値観をほとんど出さず、必要な要素を漏らさないような記述になっていると述べました。ゲシヒテではなくヒストリーです。

そしてこのことが、現在の日本人の歴史認識において、両刃の剣となっています。戦後の平和教育は、東西冷戦下の枠組みでおこなわれてきました。そのため、冷戦終結とともに、その有効性は失われてしまった。そもそも、この段階で、単なるヒストリーを超えた、歴史教育の新たな方向性を模索するべきでした。しかし、知識人はその作業を怠りました。序章でも述べたとおり、その結果、いまや貧困かつ粗雑な歴史観が跋扈し、それがヘイトスピーチや極端な自国至上史観として現れています。

だからこそ、私たちは歴史をアナロジカルにとらえなければならない。日本の歴史教科書を読めば、最低限必要な基礎知識は身につくでしょう。しかし、その知識をほかの知識と結びつけて理解し、現状を正確に把握することは訓練なしにはできません。イギリスの歴史教科書は、獲得した知識をアナロジカルに活用するための格好の書です。

品格ある帝国主義とは何か

日本もイギリスと同様に、新・帝国主義のゲームに巻き込まれています。中国、韓国との摩擦が激しさを増し、経済的凋落はいまなお止まりません。

そして、日本もまた帝国主義国です。なぜなら、一九世紀の終わりまで、独立した政治体制を持っていた琉球王国を沖縄県として編入した歴史を持つからです。

歴史的に、本土と沖縄は天皇信仰を共有していません。沖縄のメディアと本土のメディアの報道内容もまったく異なります。

多くの日本人はこの違いに鈍感なため、沖縄も本土の延長上に考え、均質な日本人の一部だと考えてしまう。つまり、宗主国としての自覚をまったく欠いているのです。

自覚がないために、米軍基地をめぐって、本土の人間が沖縄に強いていることにもまったく気づくことができません。

これでは、品格のある帝国主義とは言えません。

品格のある帝国主義とは、先述のとおり一種のアイロニーです。どういうことかというと、日本は帝国主義国なのだから、均質な国民国家と思ってはいけない。沖縄という外部領域があるわけです。

帝国主義国は外部領域を構造的に差別してしまうのですから、せめて帝国主義国らしいアファーマティブ・アクションをきちんとおこなうべきです。

いくらなんでも、国土面積の〇・六％に七四％の米軍基地があり、そのうえに追加して新基地を造るのはやりすぎだろう。完全にフラットにはしないけれども、いまのままでは帝国としての均衡が崩れてしまう。外部に与える痛みを極小にして、日本国家の利益を図る。——そういう意識を持つことが品格のある帝国主義への第一歩です。

そのうえで、言葉の正しい意味でのファシズムを加味すれば、経済的には再分配をおこない、健康で文化的な生活、今後の技術発展に対応できる職業教育、家族を持ち子供を育て、次世代の労働者を育成することができる所得を国民に保証する。

帝国主義国であることを自覚するとは、自らの手がもう汚れていることを自覚することです。ですから「品格のある帝国主義」という言い方自体が、アイロニーにほかなりません。

アナロジーやアイロニーは、「見えないもの」を見る力です。「戦争の時代」を準備してしまった帝国主義と同じ過ち（あやま）を繰り返さないために、歴史からアナロジーやアイロニーを引き出す力が求められているのです。

■「資本主義」「帝国主義」を考えるための本

水野和夫
『資本主義の終焉と歴史の危機』
集英社新書

利子率の歴史的な変化を指標に、資本主義の死期が近づいていることを平易な言葉で見事に解き明かしている。グローバル資本主義がもたらす中産階級の没落を、民主主義の危機として読み解く視点も鋭い。

柄谷行人
『世界共和国へ』
岩波新書

資本主義・国家・ネイションがそれぞれどのような起源で生まれ、相互にどのようにつながっているのかを根源的に分析している。新・帝国主義の時代を理論的に考察するうえでも、欠かすことのできない一冊だ。

第二章　民族問題を読み解く極意

――「ナショナリズム」を歴史的にとらえる

第二章関連年表

■西欧史	
1143	ポルトガル王国成立
1339（～1453）	英仏百年戦争
1479	スペイン王国成立
1516	ハプスブルク家カルロス1世がスペイン王に即位
1517	ルターの宗教改革始まる
1618（～48）	30年戦争
1648	ウェストファリア条約締結
1789	フランス革命
1804	ナポレオン、皇帝に就任
1814（～15）	ウィーン会議
1848	パリ二月革命
1871	ドイツ帝国成立
1914（～18）	第一次世界大戦

■中・東欧史	
1419（～36）	フス派戦争
1438	ハプスブルク家による神聖ローマ帝国（ドイツ）皇帝世襲が始まる
1618（～48）	30年戦争
1648	ウェストファリア条約締結
1795	ポーランド分割（ポーランド王国滅亡）
1804	オーストリア・ハプスブルク帝国成立
1806	神聖ローマ帝国消滅
1814（～15）	ウィーン会議
1848	ウィーン三月革命
1866	普墺戦争
1867	オーストリア=ハンガリー二重帝国成立
1878	ルーマニア、セルビア、モンテネグロ独立
1908	ブルガリア独立、オーストリアがボスニア・ヘルツェゴヴィナを併合
1914（～18）	第一次世界大戦
1918	ハンガリー独立、チェコスロヴァキア建国

本章のテーマは、世界史上の民族問題とナショナリズムを考察しながら、これからの国家のゆくえを展望することです。

もちろん民族問題のすべてをここで扱うことは不可能です。では、民族問題に効率的にアプローチするためには、世界史のどこに注目すればいいでしょうか。

私の見立てでは、一つはオーストリア・ハプスブルク帝国を中心とした中東欧であり、もう一つはロシア帝国の民族問題です。

なぜかというと、民族という概念が根づいたのは、まずは中東欧だったから。そして、ロシア帝国下の民族問題を取り上げるのは、民族問題の複雑さを理解するのに適切だと考えるからです。

この章の議論の流れを説明しておきましょう。

まず、中世末期からナショナリズムや民族問題が拡大する一九世紀までのヨーロッパ史を駆け足で概観します。ここでは、西欧と中東欧の国家形成の違いに着目することが重要です。フランス革命以降、民族やナショナリズム問題のほとんどは、中東欧に集中して起こりました。そのことを、外交史を中心としたヨーロッパ史を見ることで押さえましょう。

そのうえで、ナショナリズムとはそもそも何かを解説します。ナショナリズム論については、政治学から人類学、思想にいたるまで、多彩なジャンルの研究蓄積がありますが、これだけは押さえてほしいと私が考える三人の学者のナショナリズム論に絞りました。ここは、考察の道具を手に入れるパートです。

第三に、この道具をもとに、ハプスブルク帝国下の民族問題、ロシア帝国下の中央アジアの民族問題をそれぞれ考察してみます。

そして最後に、応用問題として、現下の問題であるウクライナ危機やスコットランド独立問題、沖縄問題を解説したうえで、今後の国民国家のゆくえやナショナリズムとのつきあい方を考えてみることにします。

本章においても、アナロジカルな見方を重視します。個々の民族問題やナショナリズムは、それぞれの固有性を持っている。しかし、考察のツールを用いることで、異なる問題群をアナロジカルに見ることが可能になります。

現代日本のナショナリズムを考えるためにも、世界史の教養は必須なのです。

1　民族問題はいかにして生じたのか

中世末期の西欧と中東欧の違い

それでは、さっそく歴史をさかのぼってみましょう。

中世のヨーロッパでは、教会と社会が一体化していました。だから中世の人間には、近代人のような民族意識はありません。中世のヨーロッパ人にとっては、人間であることはキリスト教徒であることとイコールだったのです。

もちろん、国家や政治体は存在します。

西欧では、比較的早い段階で、国家というまとまりが成立していきました。

英仏の場合、一三三九年から一四五三年の百年戦争後に中央集権化が進んでいきます。

百年戦争というのは、イギリスとフランスの領土戦争です。

百年戦争前までは、イギリス王はフランスに領土を持ち続けていました。たとえば、フランス西南部のギュイエンヌ地方はワインの名産地ですが、イギリス領でした。フランスはここを奪いたい。

一方、イギリスは、毛織物産業地帯であるフランス北部のフランドル地方がほしい。こういう領土的な野心がある状況で、一三二八年にフランスでカペー朝が断絶し、ヴァロワ朝ができました。この王朝交代に腹を立てたのが、イギリス国王のエドワード三世です。エドワード三世は、自分の母親がカペー家出身だったことを理由に、フランスの王位継承権を主張し、フランスに攻めこんでいくのです。

戦争はイギリス軍が優勢で、フランスの南西部、北部を次々と奪っていきます。この窮地を救ったのが、少女ジャンヌ＝ダルクだったという話はあまりにも有名です。ジャンヌ＝ダルクの神がかった活躍によりフランス軍は盛り返し、逆転勝利をおさめました。

その結果、フランスはほぼ全国土からイギリス軍を追い出し、領土的なまとまりを形成していきます。

イベリア半島も国のまとまりはけっこう早い。キリスト教徒がイスラムを追い出すレコンキスタ（国土回復運動）とともに、一一四三年にポルトガル王国ができ、一四七九年にはスペイン王国が成立します。

こうして見ると、イギリス、フランス、スペイン、ポルトガルといった西欧では、比較的早い段階で主権国家の条件が整備されていきました。

それに比べると、中東欧を含む一五世紀末の神聖ローマ帝国（ドイツ）は、混沌として います。その範囲は、オランダ、ベルギー、フランス東部、スイス、オーストリア、チェコなどのかなりの地域まで含みますが、実態は「名ばかり国家」でした。皇帝こそいるものの、権力はありません。帝国のなかに数百もの領邦が分立しているような状態です。

一六世紀に始まるハプスブルク帝国の興隆

絶対主義の時代が始まる一六世紀は、ハプスブルク家が世界史の中心を担う時代です。ハプスブルク家は、もともとはスイス北東部の弱小貴族でした。たいした所領も持っていなかった。ところが一二七三年に、瓢箪から駒のような形で、ハプスブルク家の総領ルドルフが、神聖ローマ帝国の皇帝に選ばれます。

正確に言うと、ルドルフは神聖ローマ帝国の国王に選ばれ、その後、ローマ教皇から冠を授与されて皇帝になるのです。

なぜ、弱小貴族のトップが突然、神聖ローマ帝国の国王に選ばれたのか。

当時の神聖ローマ帝国の国王の選び方というのは、帝国内の有力諸侯数名の選挙で選ぶのが慣例です。彼らは「選帝侯（せんていこう）」と呼ばれ、大きな権限を持っていました。

その選帝侯たちがルドルフを王に選んだ理由は、無難で御（ぎょ）しやすいと考えたからです。つまり選帝侯たちは、あまり能力のある人間を王にしたくなかったわけです。

ところが、そんな負の期待とは裏腹に、ルドルフは皇帝として活躍しました。このルドルフの皇帝就任が画期となって、ハプスブルク家は歴史の表舞台に登場します。そして、一四三八年以降、神聖ローマ帝国の帝位は、ハプスブルク家が事実上、世襲していきます。

ハプスブルク家の得意技は、結婚政策でした。

一五世紀に神聖ローマ皇帝となったハプスブルク家のマクシミリアン一世は、自分の息子フィリップをスペイン王女と結婚させます。二人の間に生まれた王子が、一六世紀ヨーロッパの主人公カルロス一世です。

さらにマクシミリアンは、孫の兄妹をハンガリーの王子、王女と結婚させ、ハプスブルク家はハンガリーとボヘミア（ボヘミアはおおむね現在のチェコと一致している）も手に入れました。

一五一六年にスペイン王となったカルロス一世は、三年後の一五一九年には神聖ローマ帝国皇帝カール五世に選ばれます。つまりスペインとドイツを一挙に手にしたわけです。

カール五世は戦争に明け暮れ、その全盛期は、イギリスとフランスを除いた西ヨーロッパの大半を手に入れるほどの隆盛を極めました。しかしカール五世の退位後は、ハプスブルク家はスペイン゠ネーデルラントとオーストリアに分裂し、息子のフェリペ二世が前者を継承し、後者はカール五世の弟が引き継ぎます。

三十年戦争の二つの側面

このハプスブルク家がヨーロッパの主導権を握っていた時代に起こったのが、ルターの宗教改革です。

ルターの宗教改革以前に、ボヘミアの宗教改革者ヤン・フス（一三七〇頃―一四一五）に始まるチェコ宗教改革がありますが、この点については後でくわしく述べるので、いまは触れずに素通りします。

さて、一六世紀、当時のローマ・カトリック教会の教皇が贖宥状（罪の償いを軽減する証明書）を販売したのに対して、ドイツのヴィッテンベルク大学教授で修道士であるマルティン・ルター（一四八三―一五四六）は、贖宥状を買うだけで神の罰が解消されるはずはないと批判し、聖書を拠りどころにした信仰の重要性を説きます。

ルターに始まったカトリック教会への批判運動は、ヨーロッパ全体をカトリックとプロテスタントに塗り分け、内戦・戦争に発展していきました。

そのピークとなる戦争が、神聖ローマ帝国を舞台として一六一八年に始まった三十年戦争です。

三十年戦争は、オーストリア・ハプスブルク領であるボヘミア地方のプロテスタントが、ハプスブルク家によるカトリックの強制に対して反乱を起こしたことから始まりました。

カトリックのスペインは当然、ハプスブルク家すなわち帝国側を支援しますが、プロテスタントであるデンマークやスウェーデンが南下して、帝国内のプロテスタントを支援して応戦します。さらにフランスのブルボン王朝はカトリック国ですが、ハプスブルク家と対立していたため、プロテスタントを支援しました。

つまり三十年戦争は、カトリック対プロテスタントという宗教戦争と、ハプスブルク家対フランス・ブルボン家の対立という二つの側面を持った国際戦争として拡大していったわけです。

この三十年戦争の後、一六四八年に、終戦処理のための講和会議がドイツ北西部のウェストファリア地方で開かれました。ここで締結された条約がウェストファリア条約です。

ウェストファリア条約の意義

ウェストファリア条約では、カルヴァン派（プロテスタントの一派）の信仰が認められるとともに、ヨーロッパの主権国家体制が確立しました。つまり宗教戦争は終結し、神聖ローマ帝国内の各領邦国家も含めて、それぞれの国が内政権と外交権を有する主権国家として認められたわけです。

では、この時期の神聖ローマ帝国に領邦国家はいくつあったでしょうか。

教科書的には三〇〇と言われています。しかしこのなかの多くは零細(れいさい)領邦ですから、実質的に主権を認められたのは、少数の有力な諸侯の領邦でしょう。いずれにしてもウェストファリア条約で、神聖ローマ帝国は有名無実化し、ドイツは主権を持つ領邦国家が分立する状態になりました。

このウェストファリア条約こそが、「主権国家によって構成されるヨーロッパ」という世界秩序をつくりあげ、戦争をもたらしたカトリックとプロテスタントの長年にわたる対立に終止符を打ったことで、まさに中世と近代を画する結節点となったのです。

序章で、「戦争の時代」はいまなお続いていると述べました。さらにマクロな視点に立つならば、私たちはいまなお、ウェストファリア条約で形成された近代システムの延長を生きていると言えるのです。前章で見た旧・帝国主義から新・帝国主義にいたる流れも、主権国家が主たるプレイヤーとして世界史のステージに立つという点で、近代システムの一環にほかなりません。

さて、このウェストファリア条約からフランス革命の時代にかけての、ヨーロッパの国際政治史を見ると、神聖ローマ帝国から東の地域では、激しい領土変更を伴う戦争が相次ぎました。

ドイツは領邦国家の一つであったプロイセンが力をつけ、神聖ローマ帝国の境界内で領土を拡大していきます。

それに対して、名ばかりではあっても神聖ローマ帝国の皇帝を継承し続けるオーストリア・ハプスブルク家は、ウィーンに迫るオスマントルコとの戦いに勝利し、一六九九年にハンガリーを奪います。

ポーランドは、一八世紀後半に、隣接していたロシア、プロイセン、オーストリアの三国に分割されてしまいました。現在のウクライナ西部にあたるガリツィア地方は、オーストリア・ハプスブルク領となります。

ナショナリズムを輸出したナポレオン戦争

ここまで、中世末期から近代初期までのヨーロッパの国際情勢を駆け足でたどってみましたが、この時期には民族問題やナショナリズムは存在しません。

君主のもとで中央集権化は進んでも、領域内の住民の国家に対する帰属意識は希薄です。つまり、ウェストファリア条約によって主権国家システムは成立しましたが、いまだに「国民」や「民族」と訳される近代的なネイションは生まれていません。

近代的なネイションは、一七八九年のフランス革命によって誕生します。

男性普通選挙を含む憲法の制定、徴兵制の実施など、領域内の住民が国家の政治に参加する権利を持つと同時に、住民自らが兵士となって国家を守る。フランス革命では、国家の主権が国王ではなく国民にあるという原則が打ち立てられました。

このように、国民（nation）と国家（state）が一体となった国家を「国民国家（nation state）」といいます。

フランスで生まれた国民国家や自由の理念は、ナポレオン戦争によって、ヨーロッパ中に輸出されていきます。

ナポレオンのヨーロッパ遠征の破壊力はすさまじいものがありました。ナポレオン全盛期には、ロシアをのぞくヨーロッパ大陸のほとんどを支配下に置きます。西南ドイツ諸国も支配下に置いたことで、一八〇六年に神聖ローマ帝国も完全に消滅しました。

ナポレオン戦争の影響について、世界史の教科書は次のように記述しています。

封建的圧政からの解放を掲げるナポレオンの征服によって、被征服地では改革がうながされたが、他方で外国支配に反対して民族意識が成長した。まず、スペインで反乱がおこり、また、プロイセンでは、シュタイン・ハルデンベルクらが農民解放などの改革をおこなった。(前掲『詳説　世界史』、二五四―二五五頁)

ヨーロッパ諸国は、フランス国民軍の強さを目の当たりにしました。ドイツはいまだ多数の領邦国家が分立している状態です。そのなかで、哲学者のフィヒテは「ドイツ国民に告ぐ」という演説をおこない、ドイツ民族の一体化を訴えています。ドイツに顕著なように、ナポレオンによって征服された国々では、民族意識や国民意識の覚醒を訴えるナショナリズムが発揚していくのです。

一九世紀から始まる中東欧の民族問題

ここで、中東欧の状況を見てみましょう。

ナポレオン失脚後のウィーン体制では、ロシア皇帝がポーランド王を兼ねることになったため、ポーランドは実質的にロシアの支配下に置かれました。

ハプスブルク朝のオーストリア帝国は、現在のハンガリーを含む当時最大の多民族国家です。その領土のなかには、ドイツ人、マジャール人（ハンガリー人は自分たちをこう呼びました）、チェコ人、ポーランド人、ルーマニア人、スロヴァキア人、ウクライナ人、ルーマニア人、セルビア人、マケドニア人など、一〇を超える民族が含まれます。

これらの民族が、一九世紀のナショナリズムのなかで、自治・独立を求める動きを強めていったのです。

一八四八年、フランスの二月革命の影響はウィーンにもおよび、帝国内のスラブ人やマジャール人、イタリア人の民族運動が高まります。スラブ人は独立を求めて、プラハでスラブ民族会議を開きました。ハンガリーは、一八六七年に自治を認められ、オーストリア＝ハンガリー二重帝国が成立します。

オスマントルコが支配していたバルカン半島でも、一九世紀後半に大きな変化があり、「ヨーロッパの火薬庫」の様相を呈していくことになります。

一八七七〜七八年の露土戦争において、トルコは、南下政策をとるロシアに敗れ、ルーマニア、セルビア、モンテネグロがトルコから独立しました。この敗戦で、トルコはバル

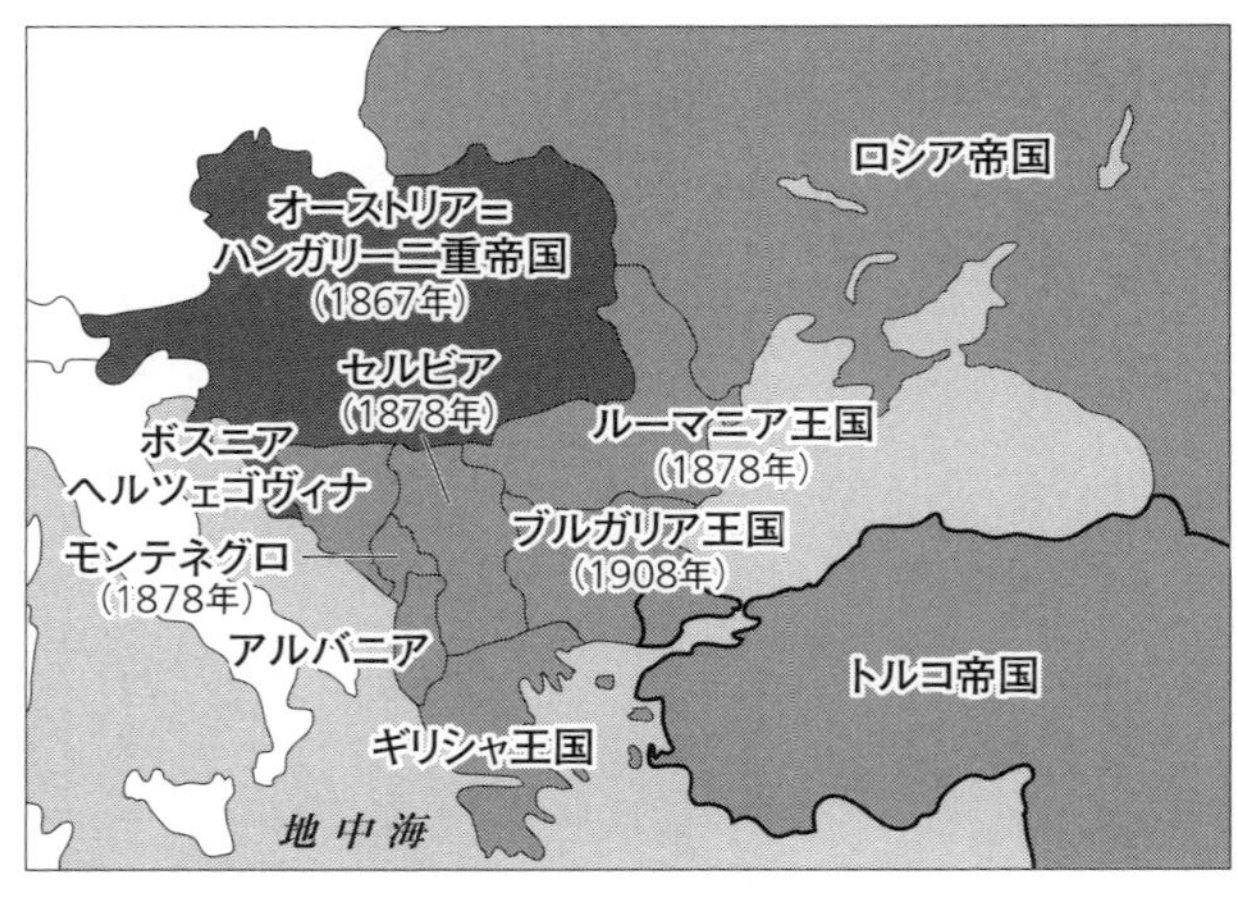

第一次世界大戦前のヨーロッパ。（　）内は成立年、独立年

カン半島の領土の大部分を失います。

一九〇八年には、トルコで起きた革命の混乱に乗じて、オーストリアがボスニア・ヘルツェゴヴィナを併合し、ブルガリアがトルコから独立します。

しかし、ボスニア・ヘルツェゴヴィナにはスラブ民族であるセルビア人住民が多く、セルビアはこの併合に反発します。

その後に起きるバルカン戦争が第一次世界大戦の火種となっていきますが、その構図は、ロシアをリーダーとする汎スラブ主義と、ドイツ・オーストリアを中心とする汎ゲルマン主義との民族的な対立です。

フランス革命以降に広がったナショナリ

ズムが、中東欧において複雑な民族問題を構成し、第一次世界大戦の背景となっていった。この流れを押さえておいてください。

2 ナショナリズム論の三銃士――アンダーソン、ゲルナー、スミス

三人の知的巨人

前節で見た歴史の流れをどう読み解くか。中世末期から三十年戦争を経て第一次世界大戦にいたる流れから、現代を生きる私たちは何を汲み取るべきか。これは、世界史の教科書や参考書はけっして教えてくれません。

強力な武器を紹介しましょう。

それは、ベネディクト・アンダーソン、アーネスト・ゲルナー、そしてアントニー・D・スミスという三人のナショナリズム論です。

三人とも歴史学者ではありません。アンダーソンは一九三六年生まれ、イギリス出身の

アメリカの政治学者。ゲルナーは一九二五年生まれ、プラハで育ちロンドン大学などで教鞭をとった社会人類学者、九五年に亡くなりました。そしてスミスは、一九三三年生まれのイギリスの社会学者です。

三人のうち、日本で比較的よく知られているのは、アンダーソンでしょう。彼の名前は知らなくとも、代表作『想像の共同体』について聞いたことがある人もいるかもしれません。この本は、日本でもっともよく読まれているナショナリズム論です。

ナショナリズム論はたくさんありますが、この三人の業績は知っておいてけっして損はありません。ビジネスパーソンにとって、歴史をアナロジカルに読み解く武器になるからです。

「想像の共同体」と道具主義

まずは、アンダーソンの論を紹介しましょう。

ナショナリズムの問題を考えるとき、「原初主義」と「道具主義」という大きく異なる二つの考え方があります。

原初主義とは、日本民族は二六〇〇年続いているとか、中国民族は五〇〇〇年続いているといったような、民族には根拠となる源が具体的にあるという実体主義的な考え方です。この場合の具体的な根拠として挙げられるのは、言語、血筋、地域、経済生活、宗教、文化的共通性といったもの。

きわめて素朴(そぼく)な議論ですが、ここには大きな問題がある。具体的に考えてみましょう。たとえばウクライナ人とロシア人。九八八年に導入されたロシア正教がロシア人のアイデンティティ形成にとって不可欠だったと言われていますが、その年にキリスト教を受け入れたのは、現在のウクライナの首都キエフの大公だったウラジミール一世です。そうすると、キエフなきロシアというのは考えられるのか。あるいは、ウクライナというのも、その意味においてはロシア人ではないか、ということになる。原初主義的発想では、すぐに袋小路に入ってしまうのです。

それに対して道具主義は、民族はエリートたちによって創られるという考え方。つまり、国家のエリートの統治目的のために、道具としてナショナリズムを利用するのが道具主義です。

この道具主義の代表的な論者が、アンダーソンです。

彼によれば、国民というのはイメージとして心に描かれた想像の政治的共同体だということになる。つまり、日本の国民というのは、「自分たちは日本人なんだ」とイメージしている人たちの政治的共同体だということです。

イメージですから、実体的な根拠はありません。国民意識というのは、自分たちは同じ民族だというイメージをみんなが共有することで成り立つものであるというのがアンダーソンの考えです。

標準語はいかにつくられるのか

では、どうすれば同じ民族だというイメージが共有されるのでしょうか。

アンダーソンが強調するのは、標準語の使用です。

標準語というのは、自然に存在するものではありません。日常の話し言葉は、地域によってさまざまです。現在の日本にも、地域ごとに方言があります。

では、標準語はどのようにつくられていくのか。アンダーソンは「出版資本主義」の力だと答えます。

書籍の出版は、初期の資本主義的企業であり、一六世紀前半に出版業は大きな産業になっていったと言われます。

一六世紀前半と言えば、ルターの宗教改革の時代です。それ以前の初期の出版市場は、もっぱらラテン語の読書人たちを対象としていました。

しかし、ラテン語を読める人間は少数のエリートなので、市場としては旨味（うまみ）がありません。ちょうどそんな時期に、ルターがドイツ語で著作を書き、聖書のドイツ語訳を出版した。これが飛ぶように売れました。「実際、ルターは名の通った最初のベストセラー作家となった」とアンダーソンは言います。

そして重要なことは、ルターのドイツ語訳の聖書が普及したことで、標準的なドイツ語を読み書きする空間が生み出されるようになったということです。

書籍として書かれる言葉は、話し言葉ではありません。話し言葉はあまりに多様です。もしも、話し言葉ごとに本をつくっていたら、出版業はたいして儲からない。出版業が儲けるためには、多くの読者市場をターゲットにしなければなりません。

そのために、「出版用の言語」がつくられていくことになります。それが国語や標準語というシステムになっていく。これがアンダーソンの分析です。

アンダーソンの考え方では、民族とは想像された政治的共同体、すなわち想像上の存在です。だから、小説や新聞が大きな役割を果たすわけです。ある小説を読む読者共同体ができる。そこに「われわれ」という共通認識が生じる。「われわれ」と感じることができるような文学形態（たとえば、小説）は、ナショナリズムと表裏一体の関係にあるわけです。

公定ナショナリズムとは何か

アンダーソンの議論でもう一つ重要な概念に、「公定ナショナリズム」というものがあります。ここに道具主義が絡んできます。

公定ナショナリズムというのは、簡単に言うと「上からのナショナリズム」。アンダーソンはその例として帝政ロシアを挙げています。

ナポレオンの侵略後、国民国家やナショナリズムの理念がヨーロッパ諸国に広まっていったことはすでに説明しました。

こうしたフランス発の理念に対抗するため、ロシアは「正教、専制、国民性」というスローガンを掲げました。この第三の原則「国民性」が、この時期に新しく加えられたわけです。

さらに一九世紀末になると、アレクサンドル三世の治世のもと、ロシア語が、バルト海地方すべての学校の授業の言語として義務づけられます。

このように、支配者層や指導者層が、上から「国民」を創出しようとするのが公定ナショナリズムですが、それは王権の正統性を支える新たな道具になると同時に、「新たな危険を伴った」とアンダーソンは指摘しています。

それはこういうことです。

「国民性」をつくるということは、君主もまた国民の一人に数えられることになります。したがって君主は、国民の代表として、国民のために統治をしなければいけない。仮に、それに失敗すると、国民からは同胞に対する裏切り行為と糾弾（きゅうだん）されてしまう。

クラスの教師が、スパルタ教育をする。でも、教師もまたクラスの一員でありクラスの代表ということになると、全員の成績が上がらなければ、教師は生徒から突き上げを食らうことになる。そういう危険があるわけです。

ゲルナーのハイライト

次に紹介するアーネスト・ゲルナーも、道具主義の代表的な論客です。主著『民族とナショナリズム』は、『想像の共同体』と並ぶナショナリズム論の名著です。最初にこの本から、ゲルナーによるナショナリズムの定義を紹介しましょう。

> ナショナリズムとは、第一義的には、政治的な単位と民族的な単位とが一致しなければならないと主張する一つの政治的原理である。（アーネスト・ゲルナー〔加藤節監訳〕『民族とナショナリズム』岩波書店、一頁）

これは明確な定義とは言えません。「政治的な単位」「民族的な単位」が定義されていないからです。

しかし、これに続く一節を読むと、ゲルナーの言わんとしていることがわかるでしょう。

それをまとめると、ナショナリズムの思想があって、ナショナリズムの運動が生じるのではなく、ナショナリズムの運動があってナショナリズムの思想が生じるということです。その結果、「民族」「国民」と訳されるネイションが生まれてくる。つまり、民族が最初にあってナショナリズムが生まれるという原初主義的な通念は誤りで、ナショナリズムという運動から民族が生まれる、というのがゲルナーの考え方です。

ゲルナーもアンダーソンと同様に、民族という感覚は近代とともに生まれたものであるという考え方をとります。日本の江戸時代でも、薩摩と会津の人間は同じ民族だという感覚は持っていませんでした。

『民族とナショナリズム』のなかで、とくに注目してほしいのは、ナショナリズムに対する誤った四つの見方を指摘している部分です。

一つは、ナショナリズムは自然で自明であり、自己発生的であるという見方です。

二番目は、ナショナリズムは観念の産物であり、やむをえず生まれたため、ナショナリズムはなくても済ますことができるという考えです。これもゲルナーは否定します。

一見、一つ目と矛盾しているようですが、そうではありません。ゲルナーは、ナショナリズムは近代特有の現象と認めながら、同時にそれを消去することはできないと言っているのです。

三番目は、マルクス主義者への皮肉です。マルクス主義者は、労働者階級に「目覚めよ」とメッセージを送ったのに、そのメッセージが民族に届いてしまったことについて、「宛先違い」だったと弁解する。このことの含意は後に解説しますが、この見方は誤っているとゲルナーは言います。なぜ民族に人々が動かされてしまうのかを考えなければいけないということです。

四番目は、ナショナリズムは、先祖の血や土地から「暗い力」が再び現れたものだという見方。これは明白にナチズムを指しています。これもまた、ゲルナーは否定します。

ナショナリズムが産業社会に生まれる理由

では、なぜゲルナーはナショナリズムを近代特有の現象だと考えるのでしょうか。

それは、産業社会でないと、人々の文化的な同質性が生まれないからです。

産業社会になると、人々は身分から解放され、移動の自由を獲得するので、社会は流動化します。前章で説明したイギリスの「囲い込み」を思い出してください。羊を飼うために、農民は農地から閉め出されてしまった。彼らは移動の自由を得て、労働者になっていくわけです。

社会が流動化すると、見知らぬ者どうしでコミュニケーションをする必要が出てきます。そうすると、普遍的な読み書き能力や計算能力といったスキルを身につけることが必須になる。そういった教育を誰が与えるかといったら、それは国家しかありません。一定の教育を広範囲に実行するためには、国家が必要です。国家は社会の産業化とともに、教育制度を整え、領域内の言語も標準化する。こうした条件があって、広範囲の人々が文化的な同質性を感じることができるというわけです。

こうして、産業化によって流動化した人々のなかに生まれていく同質性が、ナショナリズムの苗床になるというのがゲルナーのナショナリズム論です。前章で、資本主義社会の本質は「労働力の商品化」であるというマルクスの考えを紹介しましたが、ナショナリズムの形成にも労働力の商品化が大きくものを言ったのです。

「エトニ」という新たな視点

アンダーソンもゲルナーも、民族やナショナリズムが近代的な現象であるという点では共通しています。そして先述のとおり、知識人の間で原初主義は素朴な議論として斥けられ、道具主義のほうが常識的な議論として受け取られています。

しかし、知識人の外側は違います。知識人ならざる多くの近代人には、民族がはるか昔から存在しているように感じられている。いったい、それはなぜなのか。

このことを考えるうえで重要なのが、三人目の論客アントニー・D・スミスの議論です。

彼は日本で、アンダーソンやゲルナーほどのポピュラリティは得ていませんが、その主著『ナショナリズムの生命力』『ネイションとエスニシティ』は画期的なナショナリズム論です。以下、この主著二冊に即して説明しましょう。

アンダーソンは、民族とは「想像された政治的共同体」だと考えました。それに対してスミスは、近代的なネイションを形成する「何か」があると考えます。この「何か」を表す概念が、古典ギリシア語の「エトノス」もしくは現代フランス語の「エトニ」です。

エトニとは何か。

スミスの定義は〈エトニとは、共通の祖先・歴史・文化をもち、ある特定の領域との結びつきをもち、内部での連帯感をもつ、名前をもった人間集団である〉（アントニー・D・スミス〔巣山靖司・高城和義他訳〕『ネイションとエスニシティ』名古屋大学出版会、三九頁）というものです。

スミスによれば、近代的なネイションは、かならずエトニを持っている。つまり、エトニが存在しないところに、人為的に民族を創造することはできないということです。しかし、エトニを持つ集団がかならずネイションを形成するわけではありません。そのごく一部がネイションの形態を取るのであり、ネイションが自前の国家を持つことができる場合はさらに限られます。

このエトニという観念が、歴史と結びつくことによって、政治的な力が生まれます。この力によって、エトニは「民族」に転換するのです。

ここでいう「歴史」は、実証性が担保されている必要はありません。つまり、史料にもとづいた客観的な歴史記述である必要はありません。人々の感情に訴える、詩的で、道徳的で、共同体の統合に役立つ物語としての歴史（前章で述べた「ゲシヒテ」です）。これが民族形成に不可欠なのです。民族がはるか昔から存在しているように感じられる理由もここにあります。

三人のナショナリズム論の違い

エトニの具体例を紹介する前に、三人の議論を整理してみましょう。

アンダーソンの議論は、本人の意図とは離れて、「想像の共同体」は人為的につくられるというふうに読まれる傾向が強くあります。とりわけ、日本ではそうでした。

このように考えると、近代的なネイションは操作可能だということになる。つまり、人為的につくることもできれば、抑制することもできるということになります。

おそらく、アンダーソンの真意は違うでしょう。ただし、そう誤解される理由はあって、彼のナショナリズム論には、経済基盤に対する観点が希薄なのです。イメージやシンボルがあれば、ネイションはつくることができる。こうした点ばかりが着目されたため、「国民国家などフィクションだ」という形で、国家を相対化することに焦点をしぼってアンダーソンの議論は使われてしまったようです。

経済基盤への着目という点では、ゲルナーの議論はすっきりしています。ゲルナーの議論は、労働力の商品化ひいては産業化が、ナショナリズム誕生の条件だと言っているからです。

しかし、産業化は必要条件です。産業化を遂げるとかならずナショナリズムが生まれるとまではゲルナーも言いません。

さらに言えば、ゲルナーの議論では、産業化によって生まれたナショナリズムが、なぜ過去から連綿と続く民族的根拠があるようにイメージされるのか、そして、なぜ人々はナショナリズムに命を賭けるような行動を取るのか、という問いに答えることができません。

この点を説明しようとしたのが、スミスです。つまり、ネイションにはエトニという「歴史的な」根拠があるということ。

かなり乱暴ですが、おおよそ三人の議論は以上のようにまとめることができるでしょう。

フスの物語

三人のなかで、スミスのナショナリズム論は原初主義にもっとも近い議論です。だからこそ、知識人の間ではアンダーソンやゲルナーの議論のほうが好まれる。

しかし、私自身はスミスの言う「エトニ」の概念は決定的に重要だと考えています。

私は、『宗教改革の物語』という本のなかで、ルターの宗教改革以前に活動した、チェコの宗教改革者フスの物語を描くことによって、エトニの問題を明らかにしようと考えました。

それはこういうことです。

ネイションという言葉の語源は、ラテン語の「ナチオ（natio）」です。ナチオとは、中世の大学のなかで出身地を同じくするサークルのことを意味します。日本語に訳すならば、「郷土会」や「同郷団」ということになるでしょう。

たとえば、フスが学んだカレル大学には、ボヘミア、ザクセン、バイエルン、ポーランドという四つのナチオがありました。

フスが参加したのは、ボヘミアのナチオです。ボヘミアのナチオには、チェコ人、スロヴァキア人、南スラブ人、マジャール（ハンガリー）人がいて、ここだけがチェコ語を用いていたのです。

このナチオが、一五世紀のフス派の反乱によって政治的意味を持つようになりました。それはこういうことです。一五世紀初頭、カトリック教会には教皇が三人いました。この三人の教皇は、お互いに罵り合い、それぞれ傭兵を使って戦争をし、贖宥状を売って大儲けしていた。

こうした教会の腐敗を批判し、チェコ語訳の聖書をつくったのがフスです。

しかしフスは、異端の烙印を押され、一四一五年に火刑に処されてしまいました。

ボヘミアのフス派はこれに反抗し、四年後の一四一九年にフス戦争を起こします。フス派の急進派はターボルという要塞都市に立てこもり、カトリック軍に対して全戦全勝していきましたが、最終的にはフス派が内部分裂を起こし、フス派内急進派は、穏健派とカトリックの連合軍に敗れました。

このフス戦争を通じて、民族のアイデンティティとチェコ語という言語、フス派の宗教改革が結びついて、エトニすなわちネイションという考え方の基本が、カレル大学のボヘミアのナチオから出てきたのです。

近代になって、チェコ民族が成立したのは、チェコというエトニが中世に形成されていたからです。フスはそれを結晶化する役割を果たしました。

フス自身は、自らを近代的なチェコ民族と思っていたわけではありません。チェコという出身地やチェコ語という言語と結びついた自己意識があっただけです。この自己意識が、フス戦争を通じて、チェコ人というエトニの輪郭(りんかく)を強力につくりあげました。

このチェコ・エトニが、近代になってチェコ人が国家を形成する民族意識の母体になったのです。

チェコ民族の成立からわかることは、あらかじめエトニという要因があることで、民族ができあがるとは言えないということです。

エトニは、民族意識が生まれた後、「歴史的な」根拠として事後的に発見されます。発見するのは、文化エリートです。フスの物語をチェコ民族のエトニとして発見したのは、後述するように、パラツキーという文化エリートでした。

その意味では、民族問題をつくっているのはつねに文化エリートだとも言えるでしょう。たとえば日本の場合でも、日本的なエトニというのは、本居宣長によって「漢意(からごころ)に非(あら)ざるもの」という形で、『源氏物語』や平安時代のなかにあると読み込まれました。

しかし平安時代の人々に、本居宣長が言ったような「漢意に非ざるもの」という意識があったかどうかはわかりません。おそらくなかったでしょう。

それでも、この本居宣長の読み込みは、明治期以降に読み直され、日本的エトニとして発見されていくわけです。

つまり、エトニがあるからネイションができるのではなく、ネイションができるからエトニが発見されるのです。

3 ハプスブルク帝国と中央アジアの民族問題

マジャール人の覚醒

ナショナリズム論の三銃士ともいうべき三人の議論を見てきました。

そこで、彼らの議論を適宜(てきぎ)、参照しながら、具体的なネイション形成やナショナリズムの問題を世界史のなかに探っていきましょう。取り上げるのはハプスブルク帝国とロシア帝国下の中央アジアです。

最初に、ハプスブルク帝国の民族問題を取り上げます。ここで考察するのは、マジャール（ハンガリー）人とチェコ人のナショナリズムです。

オーストリア・ハプスブルク帝国は、ヨーロッパ史の流れを解説した際にも触れたように、帝国内に非常に多くの民族を含んでいました。

ヨーロッパで民族運動が生まれるのは、ナポレオン戦争以降の一九世紀であり、ハプスブルク帝国内の諸民族が民族意識に覚醒するのも一九世紀後半からです。

その背景を知ってもらうために、一八世紀以降のオーストリア・ハプスブルク帝国の歴史を概観しておきます。

一八世紀のハプスブルク帝国内は、神聖ローマ帝国と同様、大小の領邦が分立しています。外を見れば、プロイセンが強国として力をつけ、ハプスブルク帝国をおびやかす存在になっていました。

そこで、ハプスブルク帝国のマリア＝テレジアは、国内改革に乗り出しますが、芳しい成果は上がりません。その息子ヨーゼフ二世は、啓蒙思想が好きな啓蒙専制君主として有名で、中央集権的な国家をつくるために、農奴解放、宗教寛容政策や教会改革など、「上からの近代化」をめざします。

そのなかで、帝国内の民族問題につながる影響を与えたのがドイツ語の公用語化政策でした。

先に紹介したベネディクト・アンダーソンも『想像の共同体』のなかで、ヨーゼフ二世のドイツ語化政策が両刃の剣だったことを次のように述べています。

> 王朝が普遍的帝国的言語としてドイツ語をおしつけようとすればするほど、王朝はドイツ語を話す臣民に肩入れしているようにみなされ、それだけますます他の臣民の反感を募らせた。しかし、そうしなかった場合には――そして実際、王朝は他の言語、とりわけハンガリー人の言語に譲歩したのだが――それは結果的に帝国統一の推進にとって後退であったばかりか、今度はドイツ語を話す臣民が貶(おとし)められたと感じることになった。（ベネディクト・アンダーソン〔白石隆・白石さや訳〕『定本 想像の共同体』書籍工房早山、一四六頁、ルビは引用者）

このヨーゼフ二世のドイツ語化政策に、帝国内でもっとも反発したのがハンガリーのマジャール人でした。

その後のハンガリー・ナショナリズムを『想像の共同体』は詳細に記述しています。

一方では、ハンガリー地域内に公定ナショナリズムが生まれていく。ドイツ語が帝国の公用語になれば、ドイツ語を話せないマジャール人貴族たちは職にあぶれ、既得権益を失ってしまいます。そこでマジャール人の支配階級は「上からのナショナリズム」を志向し、マジャール語の防衛に乗り出したのです。

他方で、ハンガリーでは民衆的ナショナリズムも育っていきます。識字率の上昇、マジャール語出版物の普及、自由主義的知識人の成長などによって、民衆的ナショナリズムが刺激され、アンダーソンの言う出版資本主義による「想像の共同体」の素地ができていきました。

両者のナショナリズムが、最高潮に達するのが一八四八年のウィーン三月革命です。ハンガリーの議会は、封建的な貴族州議会を廃止し、責任内閣制を掲げたほか、農奴解放やマジャール語の公用化を宣言します。

しかし、翌四九年、革命はロシア軍の援助を受けたオーストリア軍により鎮圧され、民族的自由は再び奪われます。

公定ナショナリズムと帝国主義

ハンガリーのナショナリズムに見られる、公定ナショナリズムと民衆ナショナリズムの相克（そうこく）は、その後も続きました。

一八六六年は重要な年です。この年、オーストリアはプロイセンとの戦争（普墺戦争）に破れ、ハンガリーの自治が認められました。その結果、一八六七年に成立したのが「オーストリア＝ハンガリー二重帝国」です。

オーストリア皇帝がハンガリー国王を兼任しますが、外交・軍事・財政以外は、ハンガリー独自の憲法、議会、政府を持つことになります。

なぜ、このときハンガリーは広範な自治を認められたのでしょうか。

大きな要因は、普墺戦争の敗北によって、オーストリアがドイツ連邦の盟主の座を追われたからです。そのため、帝国内のドイツ民族の優越性は低下して、国内に抱える民族の抵抗を押さえることができなくなる。そこで妥協案として、ハンガリーに頼らざるをえなくなったわけです。

これは、帝国内のマジャール人以外の民族から見れば、一種のハンガリー優遇策にしか見えません。そのためハンガリー国内でも、ほかの民族からの自治を求める声が強まっていきました。

それに対して、ハンガリー王国は「公定ナショナリズム」を突きつけます。すなわち、国内でマジャール語化政策を打ち出し、他民族にマジャール語を強制していくのです。

オーストリア＝ハンガリー二重帝国は、第一次世界大戦に敗れます。

その結果、オーストリアとハンガリーは分離し、一九一八年にハンガリーは独立しました。のみならず、二重帝国は解体され、チェコスロヴァキア、ユーゴスラヴィアが独立、ハンガリー王国東部の地域はルーマニアが獲得します。

アンダーソンは、公定ナショナリズムの本質を、民衆的ナショナリズムに対する権力集団の応戦だといいます。

ハンガリーでは民衆的ナショナリズムが育つなか、自らの権益を守りたいマジャール人貴族たちの公定ナショナリズムによって、王国内の他民族にマジャール化を迫りました。『想像の共同体』のなかで、公定ナショナリズムを解説した章のタイトルは「公定ナショナリズムと帝国主義」です。だとすれば、新・帝国主義の時代である現在もまた、公定ナショナリズムと親和性を持ちやすい。その典型は、中国です。

現在の中国に見られるナショナリズムの高揚は、中国指導部にとって両義性を持っています。

中国指導部が公定ナショナリズムを巧みに操作し、共産主義イデオロギーにもとづく権力の中枢(ちゅうすう)を、民族の代表に転換することに成功するならば、ナショナリズムの高揚は体制を強化することになります。それに対して、現在形成されつつある中華民族というナショナル・アイデンティティによって「お前たちはわれわれの代表ではない」と共産党指導部が拒否されれば、高揚するナショナリズムは体制にとって危険なものになる。

近代的な民族が育ちつつある中華帝国をアナロジカルに分析するうえで、公定ナショナリズムという概念は非常に有用なのです。

オーストリア・スラブ主義とパラツキー書簡

次に、チェコ民族を見てみましょう。

現在のチェコ共和国の中西部をボヘミア（ベーメン）といいます。宗教改革者フスの出身地であり、三十年戦争の発端となった地域です。

ボヘミアは、ハプスブルク帝国の一部です。しかし帝国のなかで、もっとも工業化の進んだ地域でした。新聞、雑誌を含め、チェコ語の出版物も数多く刊行されます。したがって、文化エリートが育ちやすかった。そのなかにあって、チェコ人は支配者階級であるドイツ人との対立を深め、民族的意識を覚醒させていくのです。

チェコのナショナリズムを見るうえで重要なのは、オーストリア・スラブ主義の思想です。

一八四八年のウィーン三月革命によって、ボヘミア地域にも一定の自治が認められました。ハンガリーの場合は、ここからマジャール人の公定ナショナリズムが生まれていきましたが、ボヘミアは違いました。

ボヘミアは、オーストリア帝国内にいるスラブ民族の連帯を主張するようになるのです。これをオーストリア・スラブ主義といいます。

オーストリア・スラブ主義を典型的に表すものに、「パラツキー書簡」があります。パラツキー（一七九八―一八七六）は、チェコの歴史家であり民族運動の指導者です。

一八四八年の革命によって、ドイツ連邦の各地でドイツ統一の運動が強まります。このとき、フランクフルトでフランクフルト国民議会が開かれ、ドイツの自由主義者たちが集まって、ドイツ統一の方針が討議されました。立場は二つに分かれます。すなわち、オーストリアを中心にしてドイツを統一しようという大ドイツ主義と、オーストリアからは分かれて、プロイセン中心で統一しようとする小ドイツ主義の二つです。

ボヘミアのパラツキーのもとにも、大ドイツ主義の代表の一人として会議に参加するように要請がありました。この参加要請を拒否した書簡が「パラツキー書簡」であり、これはチェコの民族運動を語るうえでは決定的に重要な資料です。

非常に長い書簡なので、その一部だけを引用します。

わたしはスラヴ族につながる一チェコ人であり、乏しいながらも全力をあげて終始わが民族のために献身してきました。チェコ民族はなるほど小さな民族ではありますが、しかし太古以来固有の民族性をもったひとり立ちの民族でした。その支配者たちは古い時代からドイツの君主たちの連邦に加入してきましたが、しかしチェコ民族は自分がドイツ民族に属するとは決して考えませんでしたし、またどんな時代にも他の民族からドイツ民族の一部と考えられたことはありませんでした。（矢田俊隆『ハプスブルク帝国史研究』岩波書店、一〇四頁、訳出は矢田氏による）

パラツキー書簡には、まず自分がチェコ民族であることが堂々と宣言されています。

「われわれはフスの民族だ」

パラツキーは、チェコ民族の父です。すでに、チェコの民族運動において、フスの物語が重要な役割を果たしていることは指摘しましたが、パラツキーは、「われわれはフスの民族だ」というイメージを流布することによって、民族のアイデンティティを確立していきます。そして宗教的にも、ドイツのプロテスタンティズムではなく、チェコ土着であるフス派のプロテスタンティズムであるという物語をつくっていく。つまり、パラツキーによって、フスの物語がエトニとして発見されていくわけです。

ただし、パラツキーは、単純なチェコ民族独立主義を唱えてはいません。彼の主張は、オーストリアからドイツを切り離し、チェコ人、スロヴァキア人、ポーランド人、スロベニア人などのスラブ系諸民族の連邦的な帝国にオーストリアを再編すべきだというものです。これがオーストリア・スラブ主義です。

したがって、同じスラブ民族であっても、「世界帝国」をめざすロシアとの連帯は拒絶します。また、ドイツはドイツでまとまればいいじゃないか、と考えている。ただし、オーストリア帝国にはいっさい手を出してほしくない、と。

こうしてパラツキーはフランクフルト国民議会への出席要請をはねのけ、他方では、プラハでスラブ民族会議を開き、帝国内のスラブ民族の統合を掲げます。

以降、チェコの民族運動は、オーストリア・スラブ主義を基調に動いていきます。とりわけ、オーストリア＝ハンガリー二重帝国成立以降は、ハンガリー王国下のスラブ民族であるスロヴァキア人との連邦を構想するようになります。

この構想は、第一次世界大戦でオーストリア＝ハンガリー二重帝国が敗戦したことによって実現しました。一九一八年に、トマーシュ・ガリグ・マサリクはチェコ人とスロヴァキア人という兄妹民族によるチェコスロヴァキア共和国を建設するのです。

当時のチェコスロヴァキアはカトリック八〇％、プロテスタント二〇％でしたが、マサリクは建国のためには宗教理念が重要であると考え、カトリックからプロテスタントに改宗します。ただし、ここで改宗したのは、フス派のプロテスタンティズムでした。

ムスリム・コミュニスト

ここから中央アジアの歴史を見ていきますが、民族問題というテーマで中央アジアを見る理由は、ナショナリズムが「人を殺す思想」として培養されていく姿がよくわかるからです。

帝政ロシア時代までの中央アジアは、国家が存在しない土地であり、「トルキスタン（トルコ系の人たちが住む土地）」と呼ばれていました。当然、近代的な民族意識はありません。

遊牧民は血縁にもとづく部族意識、農耕民は定住するオアシスを中心とする地縁意識、そしてどちらもスンニ派ムスリム（イスラム教徒）という宗教意識を持っています。言語は、トルコ系言語とペルシャ系言語であり、双方を話すバイリンガルも多い地域でした。

一九二〇年代から三〇年代にかけて、スターリンは、トルキスタンに恣意的な分割線を引いていきます。

なぜか。おそらくそれは、ロシア革命がヨーロッパに波及しなかったことと関係しています。

マルクス主義の考え方によれば、資本主義がもっとも発達したところから革命が起きて、社会主義になっていくはずです。ところが、現実に革命が最初に起きたのは、後発資本主義国のロシアでした。

レーニン、トロツキー、スターリンといった指導部は、ロシアの革命がやがて西欧にも拡大していき、世界革命を準備していくと考えましたが、その予想は外れてしまった。一九一九年に、ドイツやハンガリーで起きた革命はわずかな期間で鎮圧されてしまいました。

ここで、スターリンとレーニンは見事な方向転換をします。「万国のプロレタリアート、団結せよ」というスローガンに加えて、「万国の被抑圧民族、団結せよ」を並べるのです。本来、この二つは矛盾します。プロレタリアートの観点からすれば、民族には意味がない。被抑圧民族の観点からすると、階級区別は意味を持たない。それを同居させてしまうところが、スターリンとレーニンの手腕です。

先に、ゲルナーの『民族とナショナリズム』を紹介するなかで、「宛先違い」というマルクス主義者の弁解は見当違いだというゲルナーの指摘を紹介しました。まさにゲルナーの言うとおりで、はっきりと民族が宛先と指定されていたのです。

さらにレーニンは、潜在的な被抑圧民族として、中央アジアやコーカサスの少数民族に目をつけます。そうして、ムスリム・コミュニストという概念をつくってしまう。このムスリム・コミュニストに中央アジアでプロレタリアート革命を実行してもらおうというのが、レーニンの魂胆だったのです。

トルキスタンの分割

レーニンのねらいは成功した。いや、成功しすぎたと言ったほうがいいでしょう。トル

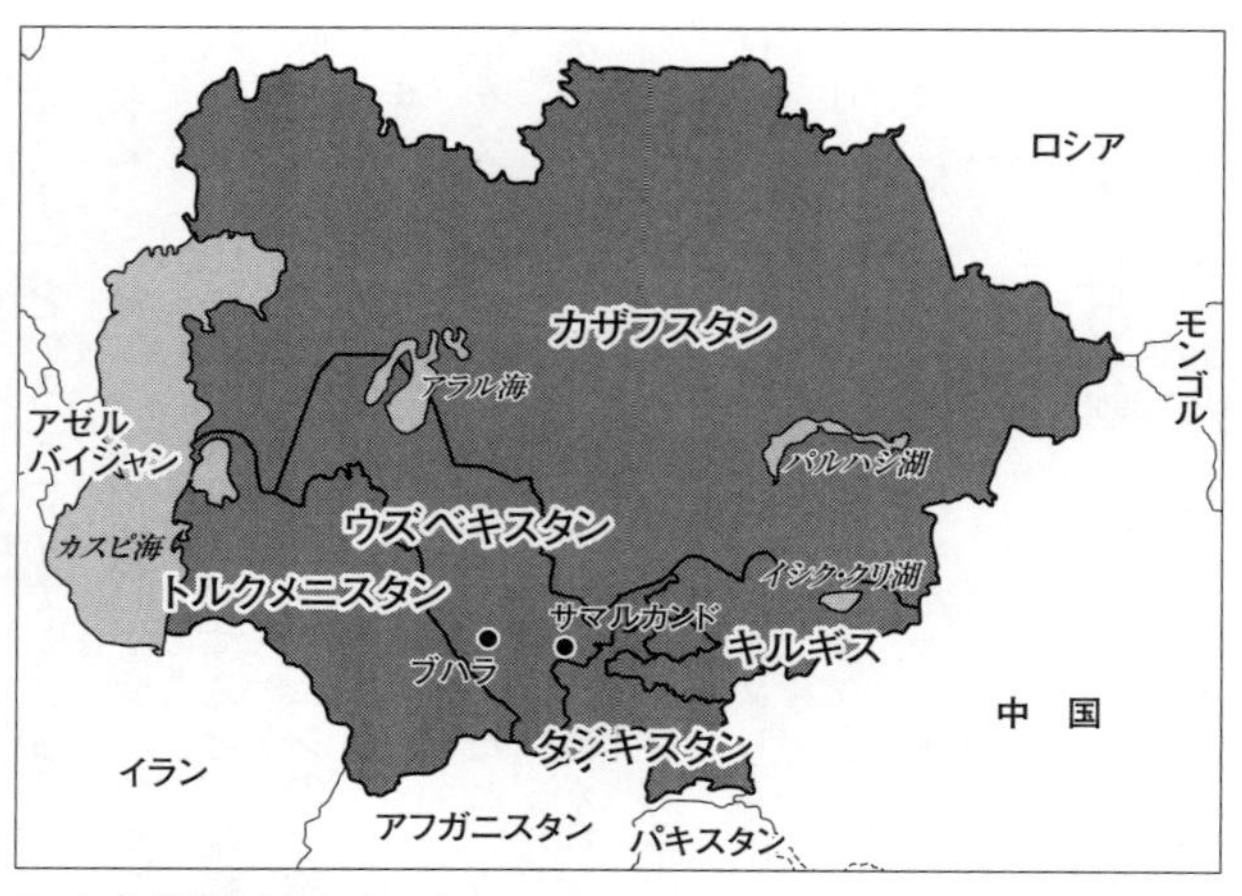

5つに分割されたトルキスタン

キスタンのムスリムに力がつきすぎてしまい、次々とムスリム系の自治共和国が生まれていったのです。

このままでは、マルクス・レーニン主義まで危うくなってしまう。中央アジアに単一のイスラム国家が生まれてしまう。イスラム原理主義革命の拡大に危機感を募らせたのがスターリンでした。

そこでスターリンは、一九二〇年代から三〇年代にかけて「上から」複数の民族をつくっていきます。すなわち、トルキスタンをタジキスタン、ウズベキスタン、キルギス、トルクメニスタン、カザフスタンという五つの民族共和国に分割したのです。

しかし、これらは上から人為的につくられた民族であるため、さまざまな矛盾が生じます。たとえばサマルカンド、ブハラという都市はウズベキスタンに属することになりましたが、これらの都市は歴史的にはペルシャ系言語を話す人々が過半数を占め、習俗もタジク人に近い。しかしタジキスタンには属さず、ウズベキスタンに入れてしまう。

あるいは、現在のキルギス人は、一九二〇年代まではカラキルギス人と呼ばれていた。このカラキルギス人に対して「お前たちの名前は、本当はキルギス人だ」とし、それまでキルギス人と呼ばれていた人たちに対しては「お前たちの本当の名前はカザフ人だ」と強引に決めてしまったわけです。

このようにして、中央アジアでは、一九二〇〜三〇年代に「上から」民族がつくられました。ほとんど民族意識がないところで、民族がつくられた。公定ナショナリズムの典型です。

その結果、どうなったか。ソ連崩壊後、中央アジア諸国では部族を中心とするエリート集団が権力を握り、他方で経済的困窮からイスラム原理主義が拡大しています。

ソ連時代にはそれなりに存在していた市民層も、伝統的な部族社会に吸収されるか、イスラムに対する帰属意識を強める方向に分解が進みました。一九九〇年代のタジキスタン内戦のように国家が分裂し、民族ごとに国家がいくつも登場して、激しい殺し合いをするかたちで民族意識が高まってしまう。これは、ナショナリズムが「人を殺す思想」になってしまうことを端的に示しています。

4 ウクライナ危機からスコットランド独立問題まで

ウクライナ危機のプロセス

以上をふまえて、現下の国際情勢について考えてみましょう。

二〇一四年は、新・帝国主義の時代がいよいよ本格化してきたことを印象づける一年でした。それを象徴しているのがウクライナ危機です。

ウクライナ東部では現在も、ウクライナからの分離独立を掲げる親ロシア派勢力と政府軍との戦闘が散発的に続いています。この地では、ナショナリズムが文字どおり「人を殺す思想」となっているのです。

簡単に、今回のウクライナ危機にいたる推移を振り返っておきましょう。

二〇一〇年二月に大統領に就任したヤヌコビッチは、親ロシア派である一方、EUとの経済連携強化を進めていました。ところが、二〇一三年一一月に、それまで進めていたEUとの経済連携強化の協定交渉を突然中止し、ロシアとの関係を強化する方針を表明します。

この方針転換に反発する十数万人規模の反政府集会やデモが連日続き、治安部隊との衝突も激化。多数の死者も出たことで、事態は緊迫の度合いを高めていきました。

ヤヌコビッチ大統領は、事態の打開を図るため野党側に譲歩し、大統領選を前倒しで実施することに合意しましたが、反政府派のデモは収束せずに激化し、首都キエフを掌握(しょうあく)します。

その後、ヤヌコビッチ大統領は行方不明となり、ウクライナ議会は所在不明のヤヌコビッチ大統領を解任し、大統領代行による暫定(ざんてい)政権が発足しました。

このウクライナでの「革命」に続き、二〇一四年三月には、ウクライナのクリミア自治共和国で住民投票がおこなわれ編入を要求します。そしてロシアは、クリミア編入を決定しました。

その後、四月以降は、ウクライナ東部を親ロシア派勢力が掌握し、分離独立を主張します。それに対し、新政権は治安部隊を投入しましたが、事態は混迷を深めたまま、内戦状態に発展しました。ドネツク州、ルガンスク州を実効支配する親ロシア派とウクライナ中央政府の間で九月に停戦協定が結ばれましたが、武力衝突が完全に収まったわけではありません。

ウクライナ情勢の本質は何か

しかし、こうした現象面の事実だけを追っていても、ウクライナ問題の本質は何ひとつわかりません。ウクライナ情勢を解く鍵は、ウクライナ人が持つ「複合アイデンティティ」にある。ウクライナは、西部と東部・南部で歴史や民族意識が大きく異なるのです。

ウクライナ西部の中心であるガリツィア地方は、もともとはヤゲウォ（ヤゲロー）朝ポーランド王国の領土でした。一八世紀になると、地方貴族の対立に周辺国が介入するよう

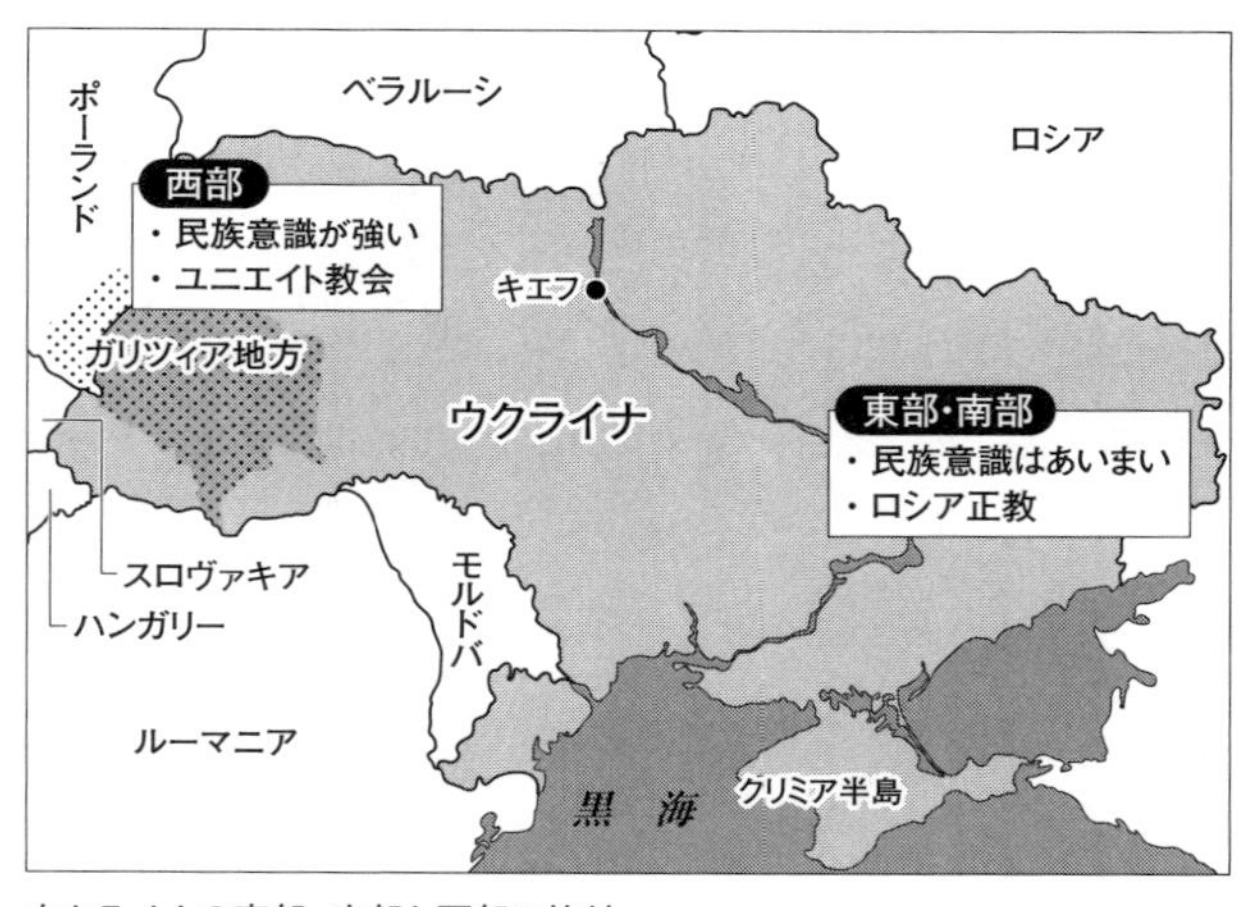

ウクライナの東部・南部と西部の比較

になり、ポーランドは一八世紀後半には隣接していたロシア、プロイセン、オーストリアの三国に分割され、ガリツィア地方はオーストリア帝国（のちオーストリア＝ハンガリー二重帝国）のハプスブルク領となります。

オーストリア＝ハンガリー二重帝国が第一次世界大戦の敗戦によって一九一八年に崩壊した後は、再びポーランド領になります。第二次世界大戦時には、ドイツとソ連が続けざまに侵攻しますが、ガリツィア地方が正式にソ連領ウクライナと統合されるのは第二次世界大戦後のことでした。それまでは、ロシアによって一度も支配されたことがない土地です。

それに対して、ウクライナ東部はまったく違った歴史を持っています。この地域は一七世紀にはロシア帝国領に組み込まれ、第一次世界大戦とロシア革命に乗じて独立を宣言しますが、その後内戦状態となり、一九二〇年にソヴィエト連邦内の共和国に組み込まれました。歴史的に見るならば、ウクライナ東部は、ロシアと密接な関係を持った地域なのです。

したがって、親ロシア派が建物を占拠した東部・南部は、ロシア語を日常的に話す住民が多数派を占めます。宗教もロシアと同じロシア正教です。ロシア正教とは、東ローマ帝国内のキリスト教である東方正教会の一派で、イコン（聖画像）崇敬や下級司祭の妻帯などを特徴としている。ですから、東部・南部の人々はそれほど強いウクライナ民族の自覚を持っているわけではありません。

それに対して、西部のウクライナ人は、「われわれは断じてロシア人ではなくウクライナ人である」という強烈なウクライナ民族意識を持っている。ウクライナ西部では、イコンを崇敬し、下級聖職者が妻帯するなど、外見はロシア正教と似ていますが、ローマ教皇

（法王）の指揮監督下に入ったユニエイト教会（東方帰一教会、東方典礼カトリック教会。ユニエイト教会については第三章でもう一度とりあげます）の信者が多数派です。そして、今回のウクライナ政変で機関車の役割を果たしたのは、西部の民族主義者たちなのです。

西ウクライナの民族主義には長い歴史があります。

ソ連が崩壊していくプロセスのなかで、西ウクライナを中心に、ウクライナ語の使用などを訴えた激しい民族解放運動が起きます。その中心になったのが「ルフ（ウクライナ語で〝運動〟の意味）」。とくにウクライナ民族至上主義の傾向を持ったグループが「西ウクライナ・ルフ」でした。

「西ウクライナ・ルフ」の基本的な考え方は「ウクライナが独立した際には核兵器を保全しながら、大国としてロシアに対抗していく」という強硬（きょうこう）なものでした。今回のウクライナの反体制派の中心は、この西ウクライナグループです。

彼らは祖国をロシアから完全に切り離し、純粋なウクライナを構築したいという強い願望を持っている。現在ウクライナで進行している「革命」の背景には、こうした歴史的・文化的な根深い対立構造があるのです。

したがって、西部と東部・南部では、ロシアに対する距離感もまったく異なります。西部の民族主義者たちは、ロシアからの影響を排除し、ＥＵとの連携強化を目論んでいるのに対して、東部・南部はロシアに強い親近感を示し、ウクライナからの分離独立にも肯定的な住民が多数いるのです。

アイルランド問題とのアナロジー

ウクライナでの異なるナショナリズムの衝突をどのように考えればいいのでしょうか。

ここでもアナロジーで考えるのがきわめて有効です。

そこで、アナロジーのモデルとして、前章でも扱った『イギリスの歴史【帝国の衝撃】』を参照してみましょう。

『帝国の衝撃』の第九章は「アイルランド：なぜ人びとはアイルランドと大英帝国について異なる歴史を語るのか？」というタイトルがついています。

この章では、最初に二つの戦いについて説明されています。

一つは、一九一四年に勃発した第一次世界大戦で、イギリス国王と大英帝国のために二〇万人以上のアイルランド人が兵士として従軍し、そのうちの三万人以上が命を落としたという事実です。

アイルランド兵は「兵士募集」のポスターによって入隊を勧められ、その多くがイギリス国王に忠誠を誓っていたと教科書では説明されています。

もう一つの戦いは、大戦中の一九一六年、アイルランドの首都ダブリンでアイルランドの一団が武装蜂起して（イースター蜂起）、独立アイルランド共和国樹立を宣言したのち、イギリス軍によって鎮圧されたという事実です。

この二つの事実を受けて、教科書は次のように書いている。

> ひとつの島にふたつの異なる態度があったのです。すなわち、フランスでイギリス国王と帝国のために戦い、死をも辞さないアイルランド人がいる一方で、ダブリンで国王と帝国に対して死ぬ気で戦いを挑んだアイルランド人がいたのでした。（『イギリスの歴史【帝国の衝撃】』明石書店、一〇三頁）

そのうえで、読者に課題を提示します。

課題は、読者が聴取者参加型のラジオ番組に参加するという想定で、歴史について自分の意見を述べるというものです。

ここには、自分がイギリスの一員だと感じている「ユニオニスト（アイルランド自治に反対の統一党員）のイアン」と、アイルランド人であることに強いアイデンティティを持つ「ナショナリストのパトリック」という対照的な二人の聴取者モデルが登場する。この二人は、次のように発言します。


「わたしの名はイアンです。わたしはユニオニストです。わたしは自分がイギリスの一員であると感じ、アイルランドが連合王国の一部であり続けてほしいと思います。／わたしの祖父はソンムの戦いでイギリスのために戦いました。わたしは（……）と思います。わたしは、イースター蜂起は（……）であると思います」

「わたしの名はパトリックです。わたしはナショナリストです。わたしは、北アイルランドがイギリスからの支配を脱するべきだと思っています。／わたしの祖父はイースター蜂起に参加しました。わたしは、それは（……）だったと思います。わたしは、イギリス軍のなかで戦ったこれらのアイルランド人たちは（……）だったと思います」（同前）

（……）は、読者自らが台詞(せりふ)を埋めることが求められている箇所。このことを考えるために、教科書ではイギリスとアイルランドの歴史的経緯が語られています。

もともとアイルランドは大多数がカトリックでしたが、スペインがイングランドを攻撃する拠点としてアイルランドを利用するようになったため、イングランドはアイルランドを取り締まるようになり、のちにはプロテスタントが入植するようになりました。

さらに、一七世紀にはイングランドの内戦で勝利したクロムウェルがアイルランドに侵攻、四万人のアイルランド人を農場から追い出し、それらの土地を自分の兵士に分け与えた、といいます。

一九世紀には、アイルランドはイギリスの正式な植民地となります。一九世紀半ばに襲った飢饉(ききん)では、約一〇〇万人の餓死者がアイルランドに出ましたが、イギリス政府は冷淡な態度しか示さなかった。

こうした経緯のなか、アイルランドは断続的に抵抗を繰り返し、一九二二年、北部アイルランド（アルスター六州）はイギリスの一部として残留し、ほかのアイルランドはアイルランド自由国（四九年にアイルランド共和国）として独立します。

同質性が高いほどナショナリズムは暴発しやすい

ウクライナ危機とアイルランド人の問題は、どのような点でアナロジーを構成できるでしょうか。

ナショナリズムの衝突を考えるうえで重要なことは、アイルランドとウクライナも、同質性が高い地域で、殺し合いが起きたということです。

アイルランド人のなかには、イギリス社会で中産階級に上昇する人もいました。多くのアイルランド人は、複合的なアイデンティティの持ち主だと考えることができます。

同質性が高いのであれば、暴力的な衝突が起きにくいと考えたくなるでしょう。ところが、まったく逆なのです。ナショナリズムは、同質性が高いほど、その差異をめぐって暴発しやすいのです。

ウクライナ人もロシア人も、同じ東スラブ人ですから、同質性は比較的高いと言えます。イギリスの教科書とのアナロジーで考えれば、ロシアとの協調を求める東部、南部のウクライナ人がイアンの立場であり、ロシアの影響を排除し、親欧米を掲げるウクライナ西部の人々がパトリックの立場だと言えるでしょう。

ウクライナが独立したのは、ソ連が崩壊した一九九一年。およそ四半世紀前のことでした。そのため、四〇代以上のウクライナ人は、ソ連人として過ごした年数も長く、複合アイデンティティを持っていることになります。

しかし彼らはいま、自分たちがロシア人なのか、ウクライナ人なのか、アイデンティティの選択を迫られている。そして、そのアイデンティティの選択次第で、隣人と殺し合いをする状況が生まれてしまうわけです。

このように、アイルランドの歴史を参照すると、ウクライナ危機の構図は同質性の高いナショナリズムの衝突という形で整理することができるのです。

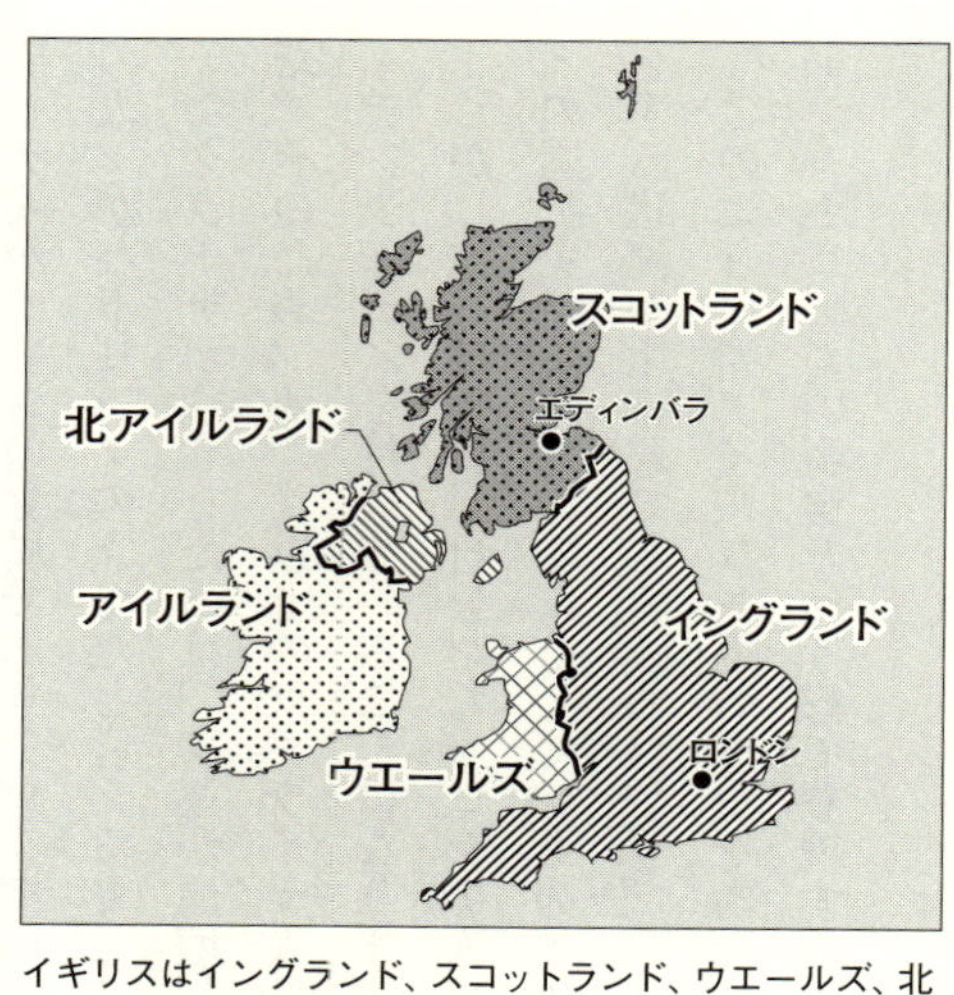

イギリスはイングランド、スコットランド、ウエールズ、北アイルランドで構成される

スコットランド独立問題

まったく同じ構図を、二〇一四年九月一八日におこなわれたスコットランド独立の是非を問う住民投票に見て取ることができます。

一七〇七年の「連合法」（Acts of Union 1707）によって、スコットランドはイングランド（ウエールズを含む）に併合されました。それまで、スコットランドは独立した王国だったのです。民族の記憶は三〇〇年程度では消えません。

スコットランドの人々が恐れたのは、このまま人材も資源も流出し、ロンドンに吸い取られていく未来です。人口五三〇万の自分たちで回していったほうが豊かになれる、という計算もあったかもしれません。イングランドとの格差が広がり、独自の言語も廃れ、軍事負担も過剰に課せられている。こんな問題提起が噴出し、民族意識に火がついた。

幸いなことに、スコットランドでは殺し合いではなく、住民投票という形で、アイデンティティの選択がおこなわれました。しかし、武力衝突の可能性がなかったわけではありません。

仮に、スコットランドが独立を可決していたらどうでしょうか。

もしスコットランドが独立することになったら、北海油田はスコットランドの排他的経済水域圏にあるため、イギリスは北海油田を失います。イングランドがこれを認めることは断じてなかったはずです。そうすると、イングランド・スコットランド戦争、あるいはスコットランド内部のイングランド統合派とスコットランド独立派が衝突することになるのです。

実際の結果は、独立反対の票が賛成を上回り、スコットランドはイギリスに残留することになりました。

しかし、これで一件落着と考えることはできません。

ギリシア語では「クロノス」と「カイロス」という二つの異なった時間概念が存在します。

クロノスとは、日々、流れていく時間のこと。年表や時系列で表される時間はクロノスです。

これに対して、カイロスという時間がある。この時間概念は、ある出来事が起きる前と後では意味が異なってしまうような、クロノスを切断する時間です。英語では、タイミング（時機）に相当します。

スコットランドの住民投票では、イングランド人とスコットランド人では、カイロスが異なることが可視化されました。

住民投票にあたり、イギリス政府だけでなく、国政レベルの与野党はすべて独立に反対して、スコットランドに「独立した場合、経済的に困窮することになる」と圧力をかけた。このことに対して、多くのスコットランド人は、自分たちが差別されているという認識を抱きました。

つまり、スコットランド人にとっては、今回の住民投票が、過去の苦渋の記憶が蘇（よみがえ）るようなカイロスになった。しかし、イギリス人にその意識はなかったのです。

「ぼんやりとした帝国」としてのイギリス

おそらく、この住民投票の結果を踏まえても、スコットランド独立派が、イギリスからの分離独立をあきらめる可能性はありません。北海油田からの税収分配、スコットランドにあるイギリス唯一の原子力潜水艦基地の移転などの交渉は、そう簡単に妥協点が見いだせない。そうなると、数年後に再びスコットランド自治政府がイギリス政府に対して独立の是非を問う住民投票を提起する可能性は十分にあるのです。

そこでイギリス政府が、住民投票は不必要と拒絶すれば、スコットランドとイギリス政府の関係は再び緊張が高まります。

イギリスは、ここまで述べてきた近代の国民国家の原理とは、すこし異なるところがあります。

ベネディクト・アンダーソンが言っていることですが、「グレートブリテン及び北アイルランド連合王国」という国名のなかに、民族を示唆する言葉はどこにもありません。イングランド人、スコットランド人、ウエールズ人、アイルランド人は民族名です。しかし、グレートブリテン人、北アイルランド人という民族は存在しない。これが示唆するのは、この国では、王あるいは女王の名のもとに、民族を超える原理で人々が統合されてきた、ということです。

先述したアイルランド問題も、そして現下のスコットランド問題も、このようなイギリス的統合のありかたが機能不全に陥りつつあることを示唆しているのかもしれません。アーネスト・ゲルナーもまた、イギリスの特殊性をこう表現します。「イギリスはぼんやりとしたまま帝国になった」。

この言葉を裏づけるように、『帝国の衝撃』は、インド支配をテーマとした章で次のように読者に問いかけています。

イギリス人の歴史家の多くは（今日まで）、イギリス人が最終的にインドを支配するようになったのは、多かれ少なかれ偶然の結果であったと主張しています。あなたはどう考えますか。イギリス人はたんに「いつの間にか支配者になった者たち」だったのでしょうか。それともかれらは、自分たちの行為をきちんと理解していたのでしょうか。（前掲『イギリスの歴史【帝国の衝撃】』、二二三頁）

イギリス政府がスコットランドの心情を理解せず、ぼんやりとしたまま「いつの間にか支配者になった」と考え続けるのであれば、スコットランドのナショナリズムは、今後もずっとくすぶり続けていくことになるでしょう。

スコットランドに自らを重ねる沖縄メディア

このスコットランド独立運動に対して、日本のメディアの多くは、地域間の格差といったような「地域主義」の視点で報道していました。これは、日本人記者の多くが、ロンドンの中央政府やイングランド人の世界観に立って、スコットランドを見てしまっている証拠です。つまり、日本の大手新聞各紙は、スコットランド独立運動が民族問題であることを軽視してしまっています。

メディア報道のみならず、日本人は大民族であるので、少数派の発想や感情を理解するのに不得手なところがあるのです。

それに対して、沖縄の報道は違いました。『琉球新報』二〇一四年九月二〇日の社説は、スコットランドの独立を問う住民投票を「世界史的に重要な意義がある」として、次のように締めくくっています。

冷戦終結以降、EUのように国を超える枠組みができる一方、地域の分離独立の動きも加速している。国家の機能の限界があらわになったと言える。もっと小さい単位の自己決定権確立がもはや無視できない国際的潮流になっているのだ。沖縄もこの経験に深く学び、自己決定権確立につなげたい。

沖縄人にとっては、スコットランドの住民投票は他人（ひと）ごととは思えない。本土の人間と沖縄人とでは、同じ出来事が違う意味を持って受け取られている。つまり、イングランド人とスコットランド人と同様に、この両者でもカイロスが異なるのです。

スコットランドの住民投票からおよそ二か月後の二〇一四年一一月一四日には、沖縄県知事選挙がおこなわれ、アメリカ海兵隊普天間基地の沖縄県内への移設と辺野古（沖縄県名護市）新基地建設に反対する翁長雄志（おながたけし）氏（前那覇市長）が当選しました。

沖縄メディアは、県知事選挙を意識してスコットランドの住民投票を報じていたのです。この選挙は、沖縄の自己決定権を主張する翁長候補と、すでに沖縄人は日本人に完全に同化したと考えている発言と行動を顕著に示している仲井眞弘多前知事との間での、沖縄の自己決定権をめぐる住民投票の要素をあわせ持っていたからです。

その結果、前述のとおり翁長氏がおよそ一〇万票の差をつけて当選しました。これ以上の基地負担を拒否するという沖縄人の強い意志がこの背景にはあります。

ナショナリズムへの処方箋

私は、ここ数年の間で、アントニー・D・スミスの言う「エトニ」が沖縄のなかで強化されていると見ています。もはや、沖縄（琉球）民族というネイション形成の初期段階に入っていると見たほうがいいかもしれません。

しかし、この現実が多くの日本人には見えていません。

沖縄のエトニは、沖縄の地に自分たちのルーツがあるという自己意識を持つ人々と、沖縄の外部ではあるが、沖縄の共同体に自覚的に参加していく意思のある人々から形成されています。

しかも基地問題、米軍輸送機MV22オスプレイの配備問題を通じて、沖縄人は、本土の沖縄に対する差別や無関心をますます強く自覚するようになってきています。

先に紹介したとおり、『帝国の衝撃』では、イアンとパトリックという正反対の立場それぞれに即してアイルランド問題を考察することを読者に促しました。そして同書は、アイルランド問題に触れた章の「本章の課題」で、次のように問いかけています。

あなたがいったい何者であるのかを決定づける最大の要素のひとつは、受け継がれてきた文化的遺産、すなわちあなたの歴史にあります。しかし、異なる人びとが異なる観点から同じ出来事を見たときに、はたして歴史は同じものであり続けるのでしょうか？（前掲『イギリスの歴史【帝国の衝撃】』、一〇三頁）

一つの事実に複数の見方があるということを理解するようになると、思考の幅が広がります。そして、自分と異なるものの見方、考え方をする人がいても、そのことに対して感情的に反発することが少なくなるはずです。平たく言えば、「他人の気持ちになって考える」ことが、ナショナリズムの時代には決定的に重要になってきます。

この章で見たように、世界史のなかでナショナリズムが高揚する時代は、帝国主義の時代と重なっています。

資本主義が発達して、グローバル化が進んだ末に、帝国主義の時代が訪れることは前章で説明しました。同時に、帝国主義の時代には、国内で大きな格差が生まれ、多くの人びとの精神が空洞化します。

この空洞を埋め合わせる最強の思想がナショナリズムなのです。

新・帝国主義が進行する現在、ナショナリズムが再び息を吹き返しています。合理性だけでは割り切れないナショナリズムは、近現代人の宗教と言うことができるでしょう。

宗教である以上、誰もが無意識であれナショナリズムを自らのうちに抱えている。その暴走を阻止するために、私たちは歴史には複数の見方があることを学ばなければいけないのです。

■「民族」「ナショナリズム」を読み解くための本

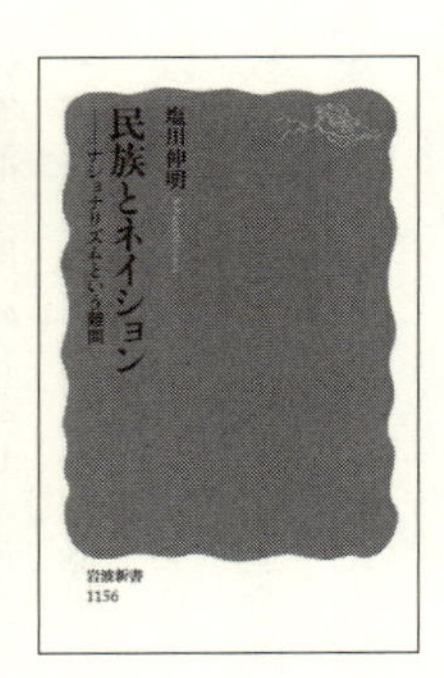

塩川伸明
『民族とネイション』
岩波新書

　国民国家の登場から旧・帝国主義の時代を経て現在にいたる、民族をめぐる諸問題が的確にまとめられている。エスニシティ、ネイション、ナショナリズムなどの理論的解説も明快だ。

大城立裕
『小説 琉球処分』上下
講談社文庫

　一八七二年の琉球藩設置から一八七九年の廃藩置県にいたるプロセス（琉球処分）をテーマにした歴史小説。明治政府と琉球の交渉過程、駆け引き、琉球内部の動揺などがドラマチックに描かれる。沖縄人の内在的論理を把握できる著。

第三章　宗教紛争を読み解く極意

——「イスラム国」「ＥＵ」を歴史的にとらえる

第三章関連年表

■キリスト教	
前7～前4頃	イエスの誕生
30頃	イエス処刑
34頃	サウロの回心
313	ミラノ勅令
392	ローマ帝国の国教となる
1054	大シスマ（東西教会大分裂）
1414（～18）	コンスタンツ公会議（1415、フス火刑）
1517	ルターの宗教改革が始まる
1534	イエズス会創設
1545（～63）	トリエント公会議
1618（～48）	30年戦争
1648	ウェストファリア条約締結
1914（～18）	第一次世界大戦
1919	カール・バルト『ローマ書講解』刊行

■イスラム	
570頃	ムハンマド誕生
622	ヒジュラ（聖遷）
630	メッカを無血占領
661	アリー暗殺
	ウマイヤ朝建国
1501	イランにサファヴィー朝成立
1914（～18）	第一次世界大戦
1915（～17）	イギリス三枚舌外交
1922	イギリス、パレスチナ委任統治領条項発動
1948	イスラエル建国、第一次中東戦争
1963	白色革命始まる
1979	イラン革命

この章の目的は、宗教に関する世界史的知識を身につけて、現代の宗教対立を読み解くことです。

パレスチナ情勢やイスラム国の台頭など、現代の紛争や戦争には宗教的な対立が根深く関わっています。キリスト教とイスラムの対立という異なる宗教間の対立に加えて、イスラムのスンニ派とシーア派の対立に代表されるように、それぞれの宗教内部でも異なる宗派同士が対立している。

そこで、本章では最初に、二つの時事的な問題を取り上げます。一つはイスラム国であり、もう一つはバチカン市国（ローマ教皇庁）です。この両者を見ると、キリスト教とイスラムが現代の国際情勢とどのように関わっているのかがよくわかるでしょう。

そのうえで、キリスト教とイスラムの歴史を取り上げますが、すでに述べたとおり、それぞれの宗教史を概説するものではありません。現下の状況をアナロジカルに把握するうえで有益な事項を厳選したつもりです。

そして、最後にもう一度、「戦争の時代」「新・帝国主義の時代」である現在を問い直すことにします。イスラム国やEUなど、国家や民族を超えたネットワークの動きが先鋭化している現状を、宗教の歴史をふまえて、しっかり押さえておきたいと思います。

序章でも言いましたが、資本主義、ナショナリズム、宗教という三点の掛け算で「新・帝国主義の時代」は動いている。一章、二章の議論も重ねあわせながら、戦争を阻止するために、現在とどう向き合うかを考えてみたいのです。

1 イスラム国とバチカン市国――日本人に見えない世界戦略

シリアから始まる「イスラム国」問題

イスラム国の問題から入りましょう。

二〇一四年六月以降、イスラム・スンニ派武装集団ＩＳＩＳ（「イラク・シリア・イスラム国」、その後、「イスラム国（ＩＳ）」に改称）が、国際情勢を大きく揺るがしました。

イスラム国の拡大は、シリア情勢と深く関係しています。シリア情勢を読み解くキーワードとしては「アラウィ派」が重要です。

シリアのアサド政権は、アラウィ派によって成り立っています。日本の新聞には、アラウィ派はシーア派の一派と書かれていますが、両者はまったく違うことに注意してください。

アラウィ派は、キリスト教や土着の山岳宗教など、さまざまな要素がまじっている特殊な土着宗教です。たとえば、一神教にはありえない輪廻転生を認めているし、クリスマスのお祝いもする。

シリアでも国民の七割はスンニ派で、アラウィ派は一割程度しかいません。なぜそのアラウィ派が、シリアを支配しているのか。これは、フランスの委任統治時代の影響です。

第一次世界大戦後、シリアはフランスの委任統治領となりました。そして、フランスはシリアの支配にあたってアラウィ派を重用し、現地の行政、警察、秘密警察にアラウィ派を登用したのです。

植民地の支配では、少数派を優遇するのは常套手段です。多数派の民族や宗教集団を優遇すれば、独立運動につながってしまう。だから、少数派を優遇することで、宗主国への依存を強化していくわけです。ジェノサイドが起きたルワンダでも、宗主国のベルギーは少数派のツチ族を多数派のフツ族より優遇しました。

こうした特殊事情を抱えるシリアに「アラブの春」が押し寄せたとき、どうなったか。「アラブの春」が起きたどの国でも、反体制勢力としてスンニ派の「ムスリム同胞団」が顔を出していました。ところがシリアにはムスリム同胞団がいなかった。現アサド大統領の父、ハーフィズ・アル＝アサド前大統領が皆殺しにしたからです。

そのため、反体制運動が起きても、まったく運動がまとまらない。それでシリアは内戦状態になってしまった。

さらに混乱を加速させたのが、レバノンからアサド支援で入ってきたシーア派の過激派組織ヒズボラ（神の党）です。これでアサド側が盛り返す。すると、今度はシーア派に対抗するためにアルカイダ系の人々が入って大混乱になった。そこにさらに便乗したのがイスラム国なのです。

イスラム国はなぜイラクを目指したのか

イスラム国は、反体制派を装って資金や武器を獲得して、シリア北部を制圧し、勢力をイラクへと拡大していきます。

なぜ、イラクなのか。

シリアでは、二〇一四年六月三日の大統領選挙でアサドが勝ったため、イスラム国はアサド政権が簡単には潰れないという見通しを持ったのです。加えて、シリアで活動を続けると、アサド政権からの報復も怖い。

では、どこへ行くかと考えると、イラクが都合がいい。地政学的に言えば、イラクには油田がある。イスラム国はオマル油田（シリア最大の油田）を押さえましたが、ここは日量七万五〇〇〇バレル程度です。一方、イラクの油田は桁が違う。クルド族が押さえているキルクーク油田だけでも日量数十万バレルになるのです。

さらに重要なこととして、イラクでは、スンニ派のアイデンティティが変容したのです。フセイン政権時代のイラクは、イランとの対立があったため、独裁下とはいえイラク人という国民意識が一応ありました。スンニ派かシーア派かは、それほど大きな問題ではなかったのです。ところが新生イラクでは多数派のシーア派が権力を握り、スンニ派は蔑ろにされた。そこにつけこんだのがイスラム国です。

イスラム国に、イラクのスンニ派たちもなびいていきます。このようにして、イラクで急速に勢力を拡大していったわけです。

このシリア問題とイラク問題で、中東情勢はどのように変わるでしょうか。

そのポイントは、米国とイランの接近です。

イスラム国の侵攻を受けた時点でイラクを統治していたマリキ政権は、イスラムの一二イマーム派（シーア派）に属している。マリキ政権はいわばアメリカの傀儡政権ですが、宗教的に見ればイランの国教であるシーア派と同じなのです。

そのため、イランから見れば、現在のイラクはサポートの対象です。そしてアメリカもイスラム国を排除したい。そこで、イランのロウハニ大統領は「必要であれば米国と協力する」というコメントを発しました。

イランはこれまで反米政権として知られてきましたが、穏健派のロウハニ大統領が誕生してからは、アメリカに歩み寄る姿勢を見せてきました。今回のイラク問題では、米国とイランの両方がイラクをサポートするという珍しい状態が起きているわけです。

イスラム国は、国家の支配を目標としていません。世界イスラム革命を掲げ、世界をすべてイスラム化することを目標にしています。

前章で、アイルランドの歴史とウクライナ情勢をアナロジカルにとらえて、イアンとパトリックを「ウクライナ東・南部の親ロシア派武装勢力」と「ウクライナ西部の親欧米派」になぞらえました。現実に目を向ければ、それぞれの背後にいるロシアとアメリカの対立はますます深刻になっています。両者の対立が深まれば深まるほど喜ぶのが、イスラム国なのです。

だからこそ私たちは、「イアンかパトリックか」「親ロシアか親米か」という二者択一からは距離を置いて、国際情勢を冷静に見なければならないのです。

さて、以上、シーア派やスンニ派、そして一二イマーム派など、イスラムの宗派の名前が出てきました。これらの違いを、みなさんはきちんと把握しているでしょうか。章の後半でくわしく解説することにして、いまは現下の国際情勢の分析を続けましょう。

イスラム原理主義の特徴

イスラム国やアルカイダに代表されるイスラム原理主義の特徴は、前述のとおり、単一のカリフ（皇帝）が支配する世界帝国の樹立をめざす点にあります。そして、そのための行動はかならず成功する。

どういうことか。イスラム原理主義のために行動して、イスラム革命が成功すれば、これは当然成功です。一方、戦死したとしても、アッラーのために戦って殉死したことになるから、殉教者はあの世で幸せになれる。これも成功なのです。

このように、イスラム原理主義のプログラムでは、革命に関与すればかならず幸せが待っていることになる。だから、ドクトリンさえ信じることができれば必勝です。

イスラム国は、インターネットを使ってこのことを広報し、民族や部族、国家を超えて、ネットワーク化しようとしています。

このような体制では、イスラム主義に帰依した人びとによって構成される権力の中心が、周縁を徹底的に収奪する帝国主義が出現します。おそらくその原イメージは、オスマントルコ帝国でしょう。

こうしたイスラム帝国主義が暴走すれば、ネットワークの利を生かして、欧米も日本も攻撃や収奪の対象になる可能性があるのです。

ローマ教皇生前退位の背景

この危機を深く認識しているのが、バチカン（ローマ教皇庁）です。

二〇一三年二月、バチカンでは異例の出来事がありました。ローマ教皇ベネディクト一六世（ヨーゼフ・ラッツィンガー）の生前退位です。そして三月に、アルゼンチン出身の新教皇、フランシスコが誕生しました。

退位の理由は、高齢による体力の衰えだとベネディクト一六世は語っています。

多くの日本人はこのことへの関心が薄く、マスメディアでもあまり取り上げられなかった。しかし、この出来事には大きな意味があるのです。

なぜこれが「異例の出来事」なのかを理解するうえでは、アナロジカルな視点が有効です。

ローマ教皇の生前退位は、一四一五年のグレゴリオス一二世以来、五九八年ぶりの出来事です。このときは、三人の教皇が鼎立（ていりつ）していました。一四一四〜一八年、ドイツのコンスタンツで教会分裂を解決するための公会議が開かれ、前章でも記したとおり、一五年七月にボヘミア（チェコ）のヤン・フスを異端として火刑に処します。その後、フスの思想がマルティン・ルターに影響を与え、宗教改革が起きるわけです。もっとも、宗教改革はプロテスタントの用語で、カトリック側は「信仰分裂」といいます。

フスの火刑後、教会は鼎立する教皇をすべて退位させ、新教皇マルティヌス五世を選出して、教会の統一を回復しました。

したがって、二〇一三年のベネディクト一六世の退位は、当時と匹敵するような危機をカトリック教会が認識していることを示唆しているのです。

カトリック教会内部にも、聖職者による教会運営のありかたや、避妊容認・同性愛容認を求める信者の声にどう対応するかという問題はありますが、危機意識の根源は別のところにある。それがイスラム過激派への対応です。

バチカンの世界戦略

ローマ教皇は不可謬性（ふかびゅうせい）を持っています。一般に教皇の決定はつねに正しくて、けっして誤りえないと理解されていますが、この理解は正確ではありません。不可謬性とは、すべての事柄でローマ教皇が間違えないという意味ではありません。信仰と道徳に関する教義に限定された不可謬性です。

ただし、道徳には社会倫理に属する事項があります。これらの事項は、政治、社会、経済にも影響を与えるため、ローマ教皇がどのような道徳指針を示すかは、事実上の政治問題になる。さらにローマ教皇は政治的な権力を現実に持っている。それは、バチカン市国という国家の長としての機能です。

こうした権力を背景に、バチカンは世界戦略を持っています。それはこういうことです。一九五八年にヨハネス二三世が教皇に就きます。ヨハネス二三世はたいへんな改革派で、第二バチカン公会議というものを開催しました。

第二バチカン公会議とは、史上初めて世界の五大陸から参加者が集まった会議で、以後の教会改革の起点ともなりました。

この公会議で、イスラム、プロテスタント、無神論者、共産主義と対話していこうという「対話路線」へと舵(かじ)が切られたのです。

この対話路線が大きく変更されたのが、一九七八年、ポーランド人のヨハネ・パウロ二世が教皇に就任したときです。中東欧社会主義国からの初の教皇ということで、大いに注目を集めました。彼は、共産主義をたたきつぶす方針を掲げます。それを理論的に支えたのが、二〇一三年に生前退位したベネディクト一六世だったのです。

ベネディクト一六世は、二〇〇六年にイスラムの聖戦（ジハード）を批判しています。これは教皇の個人的発言ではなく、バチカンの戦略にもとづくものです。台頭するイスラムを封じ込めて、カトリックを巻き返そうという意図でした。

バチカンの世界戦略の第一段階は、ヨハネ・パウロ二世のとき、共産主義を崩壊させることでした。この戦略は、一九九一年のソ連崩壊で実現します。

第二段階は、イスラムに対しての戦略です。キリスト教が巻き返すには、自分より若くて健康な教皇が中心となって戦略を立て、実行していかなければなりません。そのため、異例の生前退位となった。私はそう見ています。

では、どうやってバチカンはイスラム原理主義を封じ込めるのか。その手段は「対話」です。「対話」といっても、ヨハネス二三世の「対話路線」とは異なることに注意してください。

異文化対話を通じてイスラム穏健派を味方につける。そして、味方についたイスラム教徒が「テロ行為をする過激派がいると、私たちのイスラム教が世界から敵視されてしまう。そうならないためにも、過激派には退場願おう」と考えるように誘導していく。このようなシナリオを描いているのです。

ちなみに、バチカンにとって、イスラム過激派に次いで厄介なのが中国です。中国政府は、国内カトリック教会の高位聖職者の人事権がバチカンにあることを認めていません。そのため、バチカンと中国の間では、いまだ外交関係が存在しないのです。

新教皇フランシスコも、ベネディクト一六世の保守路線と世界戦略を継承するでしょう。新教皇の下で、バチカンは中国に対しても「対話」を通じたソフトな巻き返し戦略を図るはずです。中国は、今後、バチカンが攻勢をかけてくることを懸念しています。

プレモダンの思考へ

キリスト教とイスラムの現在を象徴する二つの事象を取り上げました。両者に共通しているのは、プレモダン（前近代的）な思考です。

イスラム原理主義は、プレモダンの理想を追求することによって、近代がもたらした社会の問題を解決しようとしました。それは、資本主義がもたらした帝国主義の問題と言ってもいいでしょう。ここで注意したいのは、プレモダンを崇めているとはいえ、イスラム原理主義がモダンの問題に対応するために生じた、きわめて近代的な現象であるという点です。

一方、カトリック教会も、近現代的な思考の制約を超えて、人間と社会の危機を洞察しようとします。

プレモダンの思考の特徴は、「見える世界」を通じて「見えない世界」を見ることです。私たちも含めた近代人が「見える世界」を重視するのは、この時代のあり方そのものが近代的な思考に制約されているからです。その象徴が資本主義経済です。

人間の労働力も商品化され、人間と人間の関係性から生み出される商品もすべてカネに換算され、そのカネを増殖することが自己目的化するのが資本主義経済です。

そうした資本主義経済に浸りきってしまうと、「目に見えない世界」への想像力や思考力が枯渇してしまう。つまり、超越的なものを思考することができなくなるのです。

こうした超越性の欠落を埋めるものがナショナリズムであり、私たちと超越性を安直に結びつけるもの、すなわち超越性へのショートカットが宗教的原理主義なのです。

安直な超越性は、容易に人を殺します。その愚を避けるために、私たちは歴史をさかのぼり、プレモダンの思考ときちんと向き合う必要がある。

そこで、節をあらためて、世界史のなかのキリスト教とイスラムを見ていくことにしましょう。

2　キリスト教史のポイント

イエスの登場

キリスト教の誕生は、世界史のなかではローマの歴史と重なっています。

ローマの歴史は、およそ一〇〇〇年間と覚えておきましょう。世界史の教科書では、ローマ共和政が始まる紀元前五〇九年ごろから西ローマ帝国が滅亡する四七六年までが古代ローマ史です。そこから中世に入ります。

キリスト教が成立していくのは、ローマ史の折り返し地点であり、帝政の時代と軌を一にしています。

教科書はおおよそ次のようにイエスの登場を説明しています。

まず、ヘブライ人は、唯一神ヤハウェへの信仰をかたく守り、そのなかから選民思想や救世主の出現を待望するユダヤ教が確立する。

具体的には、ヘブライ人の王国が前一〇〇〇年ごろに建設されます。この王国は、ダヴィデ王、ソロモン王のもとで栄えた後に、イスラエル王国とユダ王国に分裂し、イスラエル王国はアッシリアに滅ぼされてしまいました。残ったユダ王国も、新バビロニアに征服されて、住民はバビロンに連れ去られる。バビロンは現在のイラク中央部です。これが有名な「バビロン捕囚」と呼ばれる事件です。

バビロンに連れさられたヘブライ人たちは、西アジアを統一したアケメネス朝ペルシアによって解放され、パレスチナへと戻ってきます。そして、ヤハウェの神殿を再建する。これがだいたい、ローマの共和政が始まるのと同じころで、このころにユダヤ教が確立したとされています。

しかし、やがてユダヤ教は厳格に律法を守る派（パリサイ派）が権力を握る。彼らはローマの支配のもとで、重税を課してユダヤの民衆を苦しめたのです。

そのため、民衆の間に救世主待望の気運が高まります。そこに登場したのがイエスです。

イエス・キリストについては、「イエス」が名前で「キリスト」が名字と思っている人がいますが、これは間違い。イエスというのは「太郎」「一郎」のように、当時のパレスチナにいたごく普通の男の名前。それに対してキリストは「油を注がれた者」ということです。ユダヤでは、王様が戴冠（たいかん）するときに油を注ぐ習慣がある。王様イコール救済主というのがユダヤ教の伝統的な考え方です。つまり「イエス・キリスト」とは、「イエスという一世紀に存在した男が、キリストという救い主であると信じている」という信仰告白なのです。

キリスト教神学の特徴

一九世紀に、キリスト教のなかで「史的イエスの研究」というものがありました。当時は啓蒙主義の隆盛期で、その影響のもと、イエスという人間がどこで生まれて、どこでどう行動して、どこで死んだのかというデータを徹底的に調べたのです。

実証研究の結果、一世紀にイエスという男がいたことは証明できないという結論になった。同様に、いなかったことのアリバイ証明もできないのです。ここで、イエスの歴史を追究しようという流れは完全に袋小路に入り、そのあと二つの流れが生じます。

一つは、イエスが存在しないことを前提に、人間がいかにして神という概念を創ってきたのかを考える方向。このアプローチが宗教学であり、基本的に無神論の立場をとります。もう一つは、イエスがキリストであると信じていた人たちが存在したことまでは実証できると考え、救いの内容について研究する方向に向かいます。これが近代プロテスタント神学の主流派です。

通常の学問では、なにか論争があったとき、論理的に強いほうが勝ちます。対して神学では、論理的に弱く理屈が間違っているほうが、政治介入によって勝つことが多いのです。そういう学問の体裁をとっているため、論争がまったく違う方向に向かい、結論が出ないで終わる。そして一〇〇年、二〇〇年と経つと、また同じ議論が蒸し返されるのです。そうやって問題が解決しないまま、進歩のない特殊な様式の研究がなされるわけです。

ちなみに、ヨーロッパの大学では、神学部がないと総合大学（ユニバーシティ）を名乗ることはできません。神学は虚の部分を扱う虚学ですが、虚の部分——すなわち「見えない世界」——を扱わないと学問は成立しない。このような知恵をヨーロッパ人は持っているのです。

サウロの回心

キリスト教の教祖・イエスは、自身をユダヤ教徒だと認識していました。

しかし、厳格な律法主義を掲げ、律法を守る人間だけが神に救済されるというユダヤ教の教えに異を唱えます。イエスは、罪人も神に救済されると言いました。

ユダヤ教からすれば、イエスは明らかに異端です。そのため、彼は謀反(むほん)の罪でユダヤ教の幹部たちに捕らえられ、ローマの総督によって十字架刑に処されます。

処刑後、イエスが復活したという信仰が広がり、キリスト教が成立していくことになります。

初期キリスト教の伝播にあたって、決定的な役割を果たしたのがパウロです。

パウロは改名する前、サウロと名乗っていました。

サウロはローマの市民権を持ち、宗教的にはユダヤ教のパリサイ派に属していました。

もともとサウロは、〈主の弟子たちを脅迫し、殺そうと意気込んで〉（使徒言行録9・1）いたような、キリスト教徒を迫害する立場にいた。そのため、イエスの教えも神への冒瀆だと感じています。

ところが、このサウロに回心が起きた。キリスト教徒を捕縛し、エルサレムへ連行するためにダマスコ（現在のシリア・ダマスカス）へ向かう途中のことです。

> サウロが旅をしてダマスコに近づいたとき、突然、天からの光が彼の周りを照らした。サウロは地に倒れ、「サウル、サウル、なぜ、わたしを迫害するのか」と呼びかける声を聞いた。「主よ、あなたはどなたですか」と言うと、答えがあった。「わたしは、あなたが迫害しているイエスである。起きて町に入れ。そうすれば、あなたのなすべきことが知らされる。」（使徒言行録9・3－6）

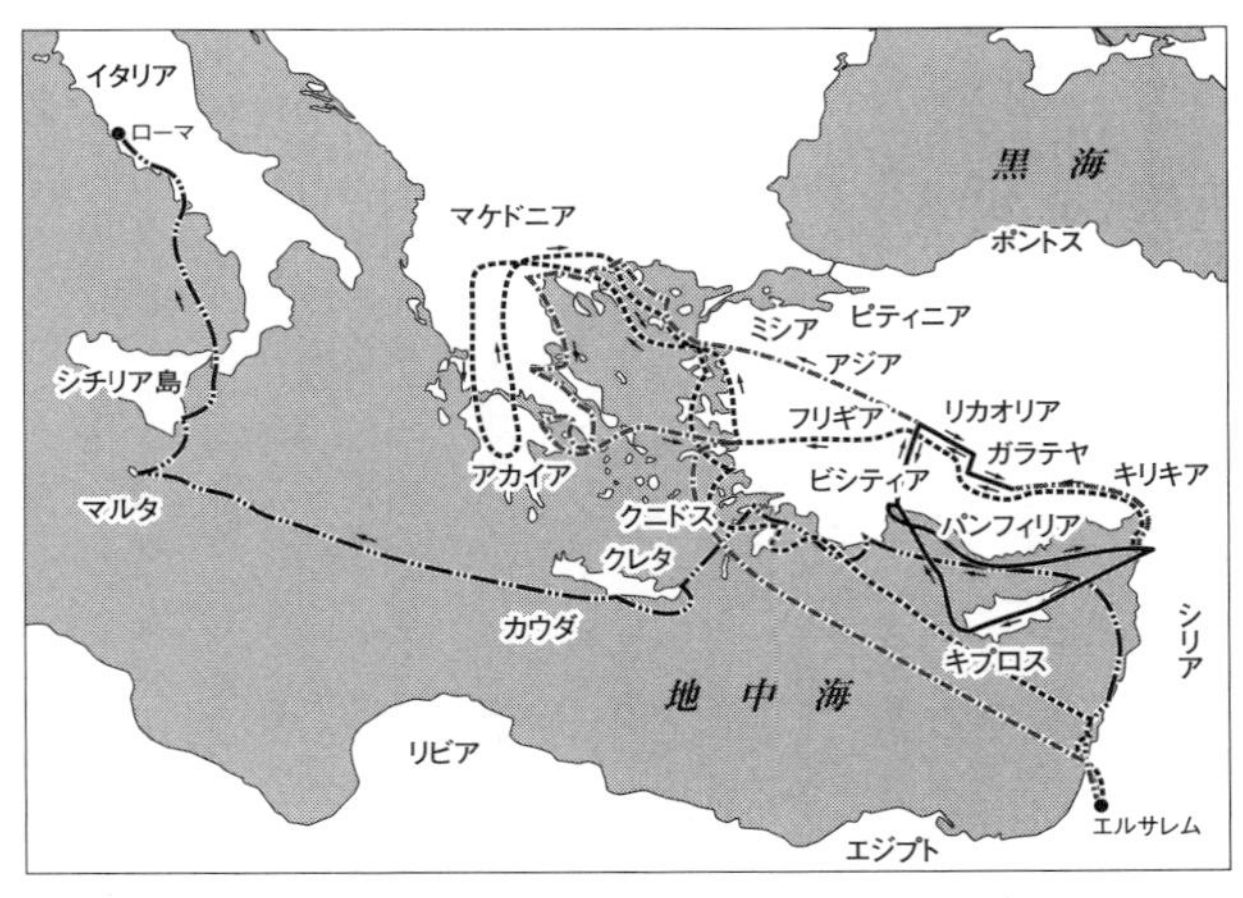

パウロ伝道の旅（異なる点線はそれぞれのルートを示している）
『聖書　新共同訳』日本聖書協会をもとに作成

このように、サウロは光のなかで〝復活のイエス〟に出会いました。しかし、イエスの直弟子とは言えません。生きているイエスには会ったことがないからです。

そんなサウロが、イエスの教えのあり方を根本的に変えたのです。

サウロは、ユダヤ人共同体内部でイエスの教えを広めることに限界を感じ、共同体の外部にキリスト教を広めることを決心します。

パウロと名をあらため、小アジア（現在のトルコ・アナトリア一帯）、ギリシャ、ローマへと伝道の旅を続け、各地に教会を設けました。

キリスト教を信じる人びとを迫害していたパウロがキリスト教徒に転向し、伝道者となった意義は、キリスト教を世界宗教へと変貌させた点にあります。

パウロが伝道旅行をおこなった地域こそ、当時「世界」と認識されていたからです。イエスの死後二、三か月では、信者数は多く見積もっても数百人程度でした。『使徒言行録』には、その後、パウロの説教で三〇〇〇人が洗礼を受けたと書かれています（2・41）。ローマ帝政下、キリスト教は拡大を続け、三一三年のミラノ勅令によって公認された頃には、信者は三〇〇万人前後まで増えました。このような爆発的な教勢（きょうせい）の拡大は、パウロがキリスト教を世界宗教へと転換させたことが契機となったのです。現在、キリスト教の信者は、全世界で約二〇億人いると推定されています。

キリスト教という宗教をつくったのはパウロなのです。イエスはキリスト教の教祖で、開祖はパウロということになります。

実念論という考え方

三九二年、テオドシウス一世の時代にキリスト教はローマ帝国の国教となりました。中世に入ると、ヨーロッパ社会の支配的な価値観となっていきます。

中世初期のキリスト教に特徴的な思考法に、「実念論」と呼ばれる考え方があります。たとえば、正三角形や二等辺三角形などさまざまな三角形がありますが、すべてを含む一般的な三角形は頭のなかにしか存在しません。

では、この一般的な三角形は実在するでしょうか。

実念論では、実在すると考える。つまり、目には見えないけれど、確実に存在するものがあると考えるのが実念論です。

それに対して、存在するのは個々の具体的な事物だけであり、三角形とか果物といった一般名詞は単なる名前にすぎないと考える思想を「唯名論（ゆいめい）」といいます。

近代的な科学は、経験を重視しますから、基本的には唯名論の延長にあります。

ヨーロッパの大学で学問の基本とされる自由七科（リベラルアーツ：文法、修辞学、論理学、算術、幾何学、音楽、天文学）が唯名論の考え方にもとづいているのに対し、実念論は神学の考え方に親和的と言えるでしょう。そして、神学部がないと、ヨーロッパではユニバーシティとして成立しないことは、先に述べたとおりです。

現在でも実念論の影響は残っています。とりわけイギリスには、実念論が政治エリートに共有されています。それは、イギリスに成文憲法がないことに表れている。

イギリスはずっと実念論が主流で、成文法という発想が出てきません。文字としての憲法はないけれど、確実に憲法は「存在する」という感覚をイギリス人は持っています。

その感覚がそれぞれの時代状況に応じて、具体的な文書の形をとって表現されるわけです。それが一二一五年のマグナカルタ（王権の制限や貴族の特権を確認した文書）であり、一六八九年の権利章典（国会と議会の権利を明確にした文書）だと解釈できる。あるいは、大きな問題が生じるごとに、判例として表現されるわけです。

イギリス人にとっての憲法は国家の暴走に縛りをかけるといった約束事ではなく、理念として備わったもの、生得的な感覚に近いものです。

前章では、イギリスの特徴として、近代的な民族を超える原理で人々が統合されてきたことを挙げましたが、もう一つ、実念論が国家の中核にあることも特徴となります。イギリスは、国家も社会もプレモダンなのです。

宗教改革の本質は復古維新運動

さて、近世になると宗教改革が起こります。

宗教改革については前章でも触れましたが、ここでもう一度まとめておきましょう。

宗教改革によって生まれたプロテスタンティズムというと、近代的な宗派だという勘違いがよくあります。カトリックが「旧教」、プロテスタントが「新教」と日本語で書かれることも誤解を拡大しています。

宗教改革はルネサンスのあとに起きました。ルネサンスは、ギリシャ・ローマの古典に還れという運動で、これを通じてはじめて中世という考え方が生まれました。還るべき古典の時代と現在の間にはさまれているのは、ろくな時代ではない。それを中世と言ったわけです。

だから中世という言葉には、最初からろくでもない時代というニュアンスがあります。

ルネサンスは復古運動ですが、その中心には理性の信奉があり、その意味においてルネサンスには啓蒙主義につながる側面がある。そして、ルネサンスによって合理主義的要素がカトリックに入ってきたわけです。

ところが、一六世紀の宗教改革には啓蒙主義とつながる要素はありません。むしろ反知性主義的な運動と考えたほうがいい。

スコラ哲学と呼ばれる中世の神学は非常に緻密な体系から成り立っています。しかし、緻密すぎて、救われる感じがしない。教会も腐敗してしまっている。世俗の権力と癒着して、暴力装置になって金儲けをしている。だからこそ、宗教改革をして、イエスが唱えた素朴な原始教会に戻ろうというのが一六世紀の宗教運動です。その意味で、宗教改革は復古維新運動なのです。

宗教改革とウクライナ危機はつながっている

この復古主義的なプロテスタント運動は、ドイツからオランダ、そしてさらに東へと広がっていきます。ポーランドやチェコスロヴァキアにも波及するのですが、とくにチェコ地域はカルヴァン派の影響が強くなる。

この流れに危機感を強めたカトリック側、つまりローマ教皇庁はトリエントの公会議を開いてカトリックの立て直しをはかります。この会議は一五四五年から六三年まで、三期にわたって開催されました。中心的な役割を果たしたのが、イグナチウス・デ・ロヨラであり、フランシスコ・ザビエルです。彼らは一五三四年にイエズス会という教派をつくっています。

イエズス会は独立した修道会ではなく、ローマ教皇庁に直結します。イグナチウス・デ・ロヨラは軍人ですから、上官の言うことは絶対に正しいという上意下達で官僚的なヒエラルキーをつくり、軍隊に準じた手法で訓練するようになる。ですから、実質的には軍隊です。

イエズス会は、この軍事力を背景に、プロテスタントの打倒を目指して「プロテスタント征伐十字軍」を仕掛けました。彼らの軍はあまりに強力なので、ボヘミア、スロヴァキアを席巻し、プロテスタントをすべて駆逐した後に、ロシア正教のウクライナまで入ってしまったのです。

あわや正教対カトリックの大戦争が起こるか、という危機的状況になりました。というのも、正教とカトリックは一〇五四年に相互破門しており、お互いに悪魔の手先だと罵り合っていたからです。

イエズス会もある程度の圧力をかけました。しかし、いくら圧力をかけても、ロシア正教側は、自らがとりおこなってきた伝統や儀式を改めようとはしません。イコン（聖画像）を掲げて拝む、お香を焚きながら儀式をおこなうといったロシア正教の習慣を残そうと必死に抵抗したわけです。

ロシア正教には僧侶に「キャリア組」と「ノンキャリア組」があります。ノンキャリアは婚姻可能で、結婚して各地域に勤務する。一方、キャリアは修道院や教会に勤務するが、結婚はできない。ちなみにカトリック教会では聖職者全員が結婚できない。プロテスタント教会は全員が結婚できる。そういった違いがあります。

さて、ロシア正教が自らの習慣を残そうと抵抗を続けたため、ローマ教皇庁は妥協案として特別の宗派を創設します。

新しい宗派では、結婚も儀式も従来どおりで結構。ただし、「ローマ教皇が一番偉いという教皇の首位権を認めること」、そして「聖霊が父および子（フィリオクエ）から出るという神学上の議論を認めること」、この二点のみが求められました。ようするに、見た目は正教だけれども、魂はカトリックという教会です。ローマ教皇庁はこの特殊な教会を使って、ロシア全域への影響を強めようとしたわけです。

こうして誕生したのが「東方典礼カトリック教会」「東方帰一教会」あるいは「ユニエイト教会」などと呼ばれる教会です。

前章のウクライナ危機のところでも触れましたが、このユニエイト教会は、西ウクライナのガリツィア地方では現在も主流です。一方、ウクライナ東部は、ロシア正教会です。ウクライナ危機の対立の背景には、こうした宗教の違いもある。つまり、フスの宗教改革、ルターの宗教改革は、遠く現代のウクライナ危機にまでつながっているのです。

現在、ユニエイト教会にロシアは強く反発しています。いまだロシアとバチカンの関係が緊張しているのは、このユニエイト教会によってカトリックがロシアの内部に侵食してくる可能性を、ロシア正教会が強く警戒しているからです。

プロテスタント神学の変容

宗教改革が引き起こしたカトリックとプロテスタントの抗争は、前章で見たように三十年戦争を経て、一六四八年のウェストファリア条約で一応の決着を見ました。

さて、ウェストファリア条約が締結された一七世紀は「科学革命」と言われる時代です。天動説から地動説への転換、ガリレイやニュートンらによる力学の基礎の確立など、その後の世界に決定的な影響を与える近代科学が成立したのがこの時代であり、科学革命を通じて、中世の教会的世界観は破壊されることになりました。さらに、この合理主義の精神は、やがて一八世紀に啓蒙思想となって、教会や絶対主義国家を支える権威や思想・制度・習慣に対する強烈な批判を展開していきます。

この啓蒙思想が席巻した一八世紀以前と以後では、プロテスタント神学も大きな変容を遂げることになります。

一八世紀以前のプロテスタンティズム（神学の用語では「古プロテスタンティズム」といいます）では、神は天上にいると信じられてきました。しかしそれでは、ケプラー以降の天体観や宇宙観と矛盾してしまう。簡単に言うと、飛行機で雲の上にのぼっても、神様には会えないわけです。だから、矛盾しないところに神の場所を置かなければならなくなります。その転換を神学的におこなったのが一八〜一九世紀の神学者シュライエルマッハー（一七六八―一八三四、シュライエルマッヘル、シュライアマハーと表記されることもある）です。シュライエルマッハーはカント、ヘーゲルと並ぶくらい重要な人物で、「近代プロテスタント神学の父」とも称されています。彼は、宗教の本質は直観と感情だと言った。つまり、神様は心のなかにいると考えたのです。

しかし、神が心にいるという考えは危ういものを含んでいる。なぜかというと、神が心にいるとなると、自分の主観的な心理作用と神を区別できなくなってしまうからです。神は絶対的存在です。自らの心のなかに絶対的存在を認めることで、人間の自己絶対化の危険性が生じたわけです。

この延長上に、神なんて自分の心の作用にすぎないという無神論も出てきてしまいます。

「不可能の可能性」としての神学

神の場所を心のなかにあると考えると行き詰まってしまう。そうすると、もう一度上を見なければならなくなります。

神学的には、シュライエルマッハーが唱えた「神は心のなかにいる」という説を打ち破ったのが現代神学の父、カール・バルト（一八八六—一九六八）です。バルトは、神が物理的な意味での天上にはいないということを理解しながら、「上にいる神」と言いました。人間は神ではないから、神について知ることは一切できない。語ることもできない。しかし説教をする牧師は神について語らなくてはならない。だから、神学というのは「不可能の可能性」に挑むことだと主張したのです。

カール・バルトは、第一次世界大戦に衝撃を受け、一九一九年に『ローマ書講解』を上梓（じょうし）しました。この本から神の場所が再転回したと言ってもいいでしょう。

なぜか。

一九一四年に、神なしに人間社会を解釈する啓蒙主義が崩壊したからです。

序章で述べたように、イギリスの歴史家エリック・ホブズボームは、フランス革命が始まる一七八九年から第一次世界大戦が勃発する一九一四年までの時代を「長い一九世紀」と呼んでいます。

この長い一九世紀とは、ようするに啓蒙の時代です。ロマン主義的な反動がヨーロッパの一部にあったにしても、基本的には科学技術と人間の理性に頼ることによって、理想的な社会をつくることができると考えられていました。つまり、神がいなくても、理性を正しく使って合理的に考えれば、世界は進歩すると考えたわけです。

さらにまた、長い一九世紀はナショナリズムの時代でもある。ナショナリズムの台頭を背景に、心のなかの絶対者の位置にはネイション（民族）が忍びこんでくる。ここに、国家や民族という大義の前に、人が身を投げ出す構えが出来上がってしまいました。言うまでもなく、その延長上に第一次世界大戦があります。

二つの世界大戦による大量殺人と大量破壊は、理性と無神論からなる啓蒙の時代を木っ端みじんに吹き飛ばしました。無神論の時代、すなわち啓蒙の時代は一九一四年で終わり、それと同時に「不可能の可能性としての神」について語られるようになったのが、第一次世界大戦が終わった一九一八年からなのです。

以上述べたシュライエルマッハーやカール・バルトの業績については、拙著『はじめての宗教論　左巻』でくわしく紹介しました。興味のある読者は、そちらをあたってください。

啓蒙から目をそらしたアメリカ

近代人は二つの世界大戦を反省し、バルトのように啓蒙の闇と向き合わなければいけなかったはずです。

ところが第二次世界大戦で、アメリカが巨大な物量によって勝利を収めてしまった。アメリカはヨーロッパと違って、第二次世界大戦を経てもまだ啓蒙の精神が盛んで、非合理な情念（プレモダン的な「見えない世界」）が人間を動かすという感覚をよく理解していません。そのため、啓蒙思想や合理的思考がもたらす負の帰結に対する洞察が働かず、問題は先送りされたままとなってしまったのです。その影響は二一世紀の現在にまで続いています。

アメリカ型の啓蒙精神によって、第一次世界大戦後のヨーロッパ知識人が格闘した啓蒙の闇の問題から目をそらされてしまったわけです。

そのツケが現在、格差問題や貧困、排外主義、領土問題、民族紛争などの形で浮上してきています。

前章で、ナショナリズムは近代人の宗教であると言いました。そこでは「不可能の可能性としての神」を直視することなく、目に見えない超越的なものの欠落を短絡的に埋める代償物としてナショナリズムが要請されてしまっているのです。

3 イスラム史から読み解く中東情勢

イスラムの誕生

次に、世界史のなかのイスラムについて見ていきましょう。

イスラムの開祖・ムハンマドが生まれたのは、五七〇年ごろとされています。生誕の地は、アラビア半島西部のメッカです。

当時、東ローマのビザンツ帝国とササン朝ペルシアが戦争を繰り返していたため、メソポタミア付近の東西交通路は往来が困難でした。その影響で、紅海に近いメッカは、商品

6世紀のアラビア半島

経由地として繁栄します。

ムハンマドも、この地の商人の一族です。

ムハンマドが四〇歳のころのことです。彼は山の洞窟(どうくつ)でよく瞑想(めいそう)していましたが、そんなある日、突然光り輝く天使ガブリエルがあらわれ、ムハンマドの首を締めながら「誦め(よめ)」と言ったのです。

これが神アッラーからの最初の啓示です。啓示のことを妻のハディージャに伝えると、彼女もそれを神の言葉として信じます。イスラム第一の信者は、一五歳も年上の姉さん女房ハディージャでした。その後、親戚や友人も続けて入信します。

ムハンマドは、唯一神アッラーへの信仰、

偶像崇拝の禁止、神の前の万人の平等を唱え、大商人による富の独占を批判します。当時のメッカは格差社会でした。

メッカの支配層である大商人たちは、商売の邪魔になるムハンマドたちを迫害し、ムハンマドと信徒たちは北のメディナへと移住します。これを「ヒジュラ（聖遷）」といい、移住した六二二年がイスラム暦元年とされました。

ムハンマドたちはメッカと衝突を繰り返した末、六三〇年にメッカを無血で占領し、多神教の神殿をイスラムの聖殿に改めました。

それ以降、ムハンマドは、周囲のアラブ諸部族も次々と支配下に治めていき、六三二年にはアラビア半島をほぼ制圧します。こうしてイスラム世界が世界史のなかに展開していくことになるのです。

イスラムの特徴

イスラムは一神教であるユダヤ教、キリスト教の影響を強く受けています。

アッラーとは、唯一神そのものを指す言葉であり、英語で言えば「ゴッド」と同じです。

偶像崇拝を禁じ、神の前の平等を説く点はキリスト教と共通していますが、イスラムではさらに主張を徹底させていて、教徒内部の身分、階級、民族の差を認めません。ですから、専門の神官階級は存在しない。

また、イスラムのなかで、ムハンマドは最初で最後の預言者であり、ムハンマド以外に預言者はいません。ムハンマドが神の啓示を受け、アラビア語で信者に語った言葉を集めたものが聖典コーランです。原名の「クルアーン」は「読誦すべきもの」という意味ですから、イスラムの信者はみんなコーランを声に出して読む。コーランを唱えることによって、神と直に接することができると考えられているのです。

聖書と異なる点として、コーランは教義のほかに、日常生活のすべてを規定する法典としての性格を持っていることです。

たとえば、イスラムの「五行」といわれる規範が、コーランには書かれています。信仰告白（アッラーのほかに神はいないと唱える）、礼拝（一日五回メッカに向かって祈る）、喜捨（収入の一部を困窮者に施す）、断食（ラマダーン月の日の出から日没までは、飲食を禁じる）、巡礼（一生に一度、メッカに巡礼する）というのが「五行」です。

ほかにも、お酒を飲まない、豚肉を食べない、利子を取らないなど、コーランには、日常生活の約束事が細かく規定されている。

これらのいずれにも通底しているのは、アッラーへの絶対的服従です。「イスラム」とは「絶対帰依」という意味であって、イスラムではあらゆる行為が、アッラーへの絶対的服従として決められているのです。

アッラーへの絶対的服従という信仰は、日常的な会話にも現れます。

たとえば、ムスリム（イスラム教徒）が約束をしていた時間に遅刻すると、「ごめんなさい」とは言いません。「アッラーを恨むな」と言います。「私が遅れてきたのはアッラーの神様が遅れるようにしたからで、だから文句を言うんじゃない」。そういう発想になるわけです。

スンニ派とシーア派はどこが違うのか

イスラムを理解するうえで、どうしても知っておかなければならないのがスンニ派とシーア派の違いです。さきに予告したとおり、以下、説明しましょう。

二つの宗派は、イスラム世界が拡大するなかで生まれていきました。

ムハンマドの没後、イスラム教徒は最高指導者として「カリフ」を選挙で選出します。「カリフ」とは「神の使徒の代理人」という意味です。

その四代目のカリフとなったアリーは、ムハンマドの従弟であり、しかもムハンマドの娘の夫になった人物でした。四人のカリフのなかで、血統的にもっともムハンマドに近い。それを根拠に、アリーとその子孫が真の後継者だと主張する党派が現れます。これがシーア派です。

「シーア」とは、「分派」「党派」という意味です。もともとは「アリーのシーア」と呼ばれていましたが、アリーが抜けて、「シーア」とだけ呼ばれるようになりました。

このシーア派に対して、スンニ派は、代々のカリフを正統と認めるイスラムの多数派です。ムハンマドの伝えた慣行「スンナ」に従う者を意味します。

シーア派では、最高指導者を「イマーム」と言います。アリーが初代イマームであり、アリーの子孫が二代目、三代目のイマームとなる。

このシーア派内部もいくつかの党派がありますが、主流派がイランで権力を握っている一二イマーム派と呼ばれる派です。

一二イマーム派とはこういうものです。

一一人目のイマームが九世紀末に亡くなったとき、一二人目のイマームが登場しましたが、すぐにお隠れ（ガイバ）になってしまった。この隠れイマームが救世主として現れて、この世を救うという教義を持っています。

この一二イマーム派の教義は、現在の国際情勢とも密接な関係があります。それはイランの核兵器問題です。

イランが核兵器を持ったとしても、イスラエルはそれを上回る圧倒的に多くの核兵器を所持している。そこで、合理的に考えれば、イランは核を使わないと考えたくなるでしょう。ところが、イスラエルが核で攻撃しても、お隠れになったイマームが現れて、イランを守ってくれるに違いない。イランの支配者層がそう信じているとすると、イランが暴走する可能性もあるわけです。

ワッハーブ派とカルヴァン派

一方、イスラム過激派はほとんどスンニ派のハンバリー学派に属しています。スンニ派は主に四つの法学派に分かれていますが、ハンバリー学派以外の三つは政治的には大きな問題はありません。イスラム原理主義やテロ運動のほとんどは、ハンバリー学派から出ているものです。

このハンバリー学派の一つにワッハーブ派がある。ワッハーブ派は一八世紀のなかごろに、宗教改革者ワッハーブによって創始されたものです。ワッハーブは、サウジの王様と協力してワッハーブ王国をつくり、これがのちのサウジアラビア王国の素地となりました。そのため、現在でも、サウジアラビアの国教はワッハーブ派です。

中東情勢、イスラム過激派の動きを見る場合、ワッハーブ派とサウジアラビアの結びつきについて理解しておくことが重要です。

ワッハーブ派は、コーランとハディース（ムハンマド伝承集）しか認めません。聖人崇拝も墓参りもしない。ムハンマド時代の原始イスラム教への回帰を唱え、極端な禁欲主義を掲げます。

アルカイダというのは、このワッハーブ派の武装グループで、イスラム国もまた同様。そのほか、北アフリカのイスラム・マグレブ諸国のアルカイダ、チェチェンのテログループ、アフガニスタンのタリバンなど、イスラムの過激派はすべてワッハーブ派の系統です。

キリスト教とのアナロジーで考えると、このワッハーブに近いのはプロテスタントのカルヴァン派です。

ワッハーブ派とプロテスタンティズムは、復古維新運動である点で共通しています。さらに、カルヴァンとは形が違いますが、ワッハーブ派も世俗世界では禁欲的態度をとります。

ただし、両者には決定的な違いがある。それはキリスト教には、イエス・キリストという媒介項があることです。

キリスト教において、イエス・キリストという媒介項を必要とする理由は、人間には原罪があるからです。それに対して、イスラムには原罪という観念はありません。この楽観的人間論が最大の問題です。だから神が命じれば、聖戦の名のもとに、あらゆるものを破壊しても構わないと考える。

キリスト教の場合、人間には原罪があるから、地上は悪の世界です。つまり、天上界の自然状態と地上界の自然状態は逆になっている。キリスト教の世界観では、地上は罪のある者で占められているから、人間の世界で差別や抑圧、病気、苦しみ、貧困があることは自然な状態ということになります。それに対してイスラムの場合、ジンという妖怪が悪さをしているということになる。自身の内なる悪についての反省がないので、一度信じることができれば、どんな暴力でも肯定されてしまうのです。

イランが持つ二つの顔

一六世紀、イスラムの歴史に重要な転機が訪れます。

一五〇一年、イランにサファヴィー朝が成立しました。このサファヴィー朝はシーア派一二イマーム派を国教に定めます。

それ以前は、モロッコから新疆（しんきょう）ウィグルまでがイスラムベルトとしてひとつながりになっていました。ところが、イランがシーア派になることによって、このベルトが切れてしまった。サファヴィー朝の西はオスマン帝国、東はムガル帝国ですが、このどちらもス

16世紀のイスラム世界

ンニ派です。つまり、サファヴィー朝はスンニ派の大国にサンドイッチで挟まれている。こうして、一六世紀にイスラム世界は大きく二分されることになったのです。

では、なぜサファヴィー朝はシーア派を国教にしたのか。それはペルシャ・アイデンティティ確立のためです。イラン人には、はるか昔のペルシャ帝国の輝かしい記憶が刷り込まれていた。サファヴィー朝において、民族主義的なアイデンティティとシーア派が結びついた格好になります。

戦後のイランでは、親米のパーレビー国王が強権的に近代化政策をとって世俗化を進めました。これを「白色革命」といいます。白色革命によって経済は成長しましたが、格差拡大や支配層の腐敗など、国民の不満も高まります。

そこで起きたのが、シーア派指導者ホメイニによるイラン革命です。全国的な反体制運動が拡大し、国王は亡命しました。その結果、一九七九年に、イスラム教を国家原理とするイラン・イスラム共和国が成立します。

なぜイラン革命は成功したのか。これはアメリカの完全な油断です。アメリカもイスラエルも、イランが崩壊することを予見できなかった。一度世俗化して、高度の消費文明を享受している国が原理主義化することはありえないと高を括っていたわけです。

一九七九年のイラン革命のときも、サファヴィー朝成立時と同様に、一二イマーム派の教義が現代用に組み立て直され、さらにそこにはペルシャ帝国主義が加味されました。

現代のイランという国を見るときは、一二イマーム派のイスラム原理主義と、ペルシャ帝国主義という二側面から見ないといけません。

とくに日本では、二重にバイアスのかかったイラン情報が蔓延しています。一つは、ペルシャではなくアラブ専門家の見たイラン情勢であり、もう一つは親ＰＬＯ・反イスラエル的な偏見です。たとえば日本の政治家の圧倒的多数は、イランはペルシャ人の国ということさえ知りません。アラブ諸国の一つだと思っています。

イランが近年、ホルムズ海峡の封鎖をほのめかしたり、バーレーンにイラン革命を輸出しようとするのは、ペルシャ帝国主義の文脈で読みとくほうが正確です。あるいは、イランが、スンニ派原理主義であるパレスチナのハマスと良好な関係を築いているのは、宗教が動機ではなく、ペルシャ帝国主義的な発想にもとづいています。

いくら帝国主義でも、シーア派のイランとスンニ派のパレスチナが良好な関係を築くのはおかしいと思う人もいるかもしれませんが、それは視野狭窄(きょうさく)です。

シーア派とスンニ派が対立するのは、イスラム教のなかで分節化がおこなわれる場合です。対イスラエル、対キリスト教ということになると、シーア派とスンニ派は団結するのです。

だからイランは、同じ一二イマーム派であるレバノンのテロ組織ヒズボラを支援すると同時に、ハマスも全面支援する。反イスラエルという戦略のうえでは、シーアとスンニの差異は些細(ささい)な違いでしかないのです。

パレスチナが平和だった時代

イスラエルの話題が出たので、パレスチナ問題も簡単に整理しておきましょう。

パレスチナは、ユダヤ教、キリスト教、イスラムすべてにとっての聖地です。

先述したように、地中海東岸のパレスチナは、紀元前一〇〇〇年ごろにヘブライ人が王国を建設した地域の名称です。昔はカナーンとも呼ばれていました。バビロン捕囚から解放された後に、彼らはパレスチナのなかの都市エルサレムに神殿を再建します。

その後、ローマの支配下に置かれたユダヤ人は、独立運動を起こしますが、逆に徹底的に弾圧・迫害され、ユダヤ人はパレスチナの地から離散します。

キリスト教では、イエスが十字架にかけられたゴルゴタの丘が、エルサレムにありました。現在のエルサレムにある聖墳墓(せいふんぼ)教会は、ゴルゴタの丘があったとされる場所です。

では、イスラムにとって、なぜエルサレムが聖地なのでしょうか。

それは、「ムハンマドの昇天」と言われる伝承に由来します。イスラムの伝承では、ムハンマドは、ある夜、天使ガブリエルに導かれて、エルサレムにある巨岩から天馬にまたがって昇天し、アッラーに謁見(えっけん)したと言われています。つまり、ムハンマドの昇天体験の出発点がエルサレムだとされているのです。

二代目カリフがエルサレムを支配下に置き、さらに七世紀のウマイヤ朝時代になると、ムハンマドの昇天の起点である巨岩の上に「岩のドーム」が建てられました。

三つの聖地が併存するエルサレムは、現在と同様、昔からさぞかし争いが絶えなかっただろうと思われるかもしれませんが、そんなことはありません。

ほとんどの時期は、三つの宗教は平和的に併存していたのです。ここで宗教的な紛争が起きるのは、一九四八年のイスラエル建国以降のことでした。

パレスチナ問題の発端

パレスチナ問題の発端は、第一次世界大戦時にさかのぼります。

パレスチナは第一次世界大戦時、オスマントルコの領土でした。そして、オスマントルコは、ドイツ、オーストリアの陣営に入って、バルカン戦争で奪われた領土の奪回をめざします。

戦争が始まると、イギリスは中東でトルコと戦火をまじえますが、このとき、戦争を有利に進めるために、三枚舌外交を展開します。

第一に、戦後のアラブ人の独立と引き換えに、アラブ人にオスマントルコに対して反乱を起こさせます。つまり、トルコの支配に憤るアラブ人のナショナリズムを利用したわけです。

第二に、フランス、ロシアとの間で、トルコ領を分割する秘密協定を結びます。

第三に、パレスチナへの帰還を切望するユダヤ人に、「民族的郷土（ナショナル・ホーム）」の建設を約束します（バルフォア宣言）。

相互に矛盾しています。ではオスマントルコが戦争に負けた結果、どうなったか。パレスチナは、バルフォア宣言にもとづきながら、イギリスの委任統治領になるという状況に陥りました。つまり、イギリスの委任統治のもとで、ユダヤ人の入植を認めるということです。

こうして、パレスチナの地にユダヤ人がどんどん押し寄せます。とくに、一九三〇年代にヒットラーのユダヤ人撲滅運動が起こると、難を逃れるためにユダヤ人がパレスチナに次々と入ってきました。

これをアラブ人が黙認するわけがない。ユダヤ人の入植に反対するアラブ人は、イギリスの委任統治に対して、激しい抵抗運動を展開するようになります。

第二次世界大戦が終わると、戦争で疲弊（ひへい）したイギリスにパレスチナを統治する力は残っていません。そのため、一九四七年に国連でパレスチナ分割案が決議されます。

分割案は、パレスチナをユダヤ人国家とアラブ人国家の二つに分け、エルサレムは国際管理地区にするというものです。

しかし、若干、ユダヤ人に有利な内容だった。そのためアラブ人は拒否しますが、ユダヤ人は受け入れます。こうして一九四八年、イスラエルが建国されます。

ハマスの目的

建国と同時に、イスラエルとアラブ諸国の間で第一次中東戦争が始まり、イスラエルが勝ちました。そこでさらに領土を拡大し、国家はイスラエルだけということになった。これを始めとした四回におよぶ戦争やさまざまな交渉を経て、地中海に面したガザ地区と内陸部のヨルダン川西岸地区に、パレスチナ自治区ができました。

2014年現在のイスラエル、パレスチナ自治区とその周辺諸国

現下の問題は、ガザ地区を実効支配しているスンニ派原理主義過激派のハマスです。

ハマスの思想も、イスラム国やタリバンと同様です。世界はアッラーの神によって支配されるただ一つの帝国でなければいけない。そのためにはイスラム革命が必要であり、まず最初に、イスラエルをパレスチナから抹消しなければならないと考えている。そうなると、イスラエル政府とハマスの間に、交渉の可能性が開かれません。ハマスにとって、パレスチナ民族の自立は目標ではなく、革命のための単なる道具に過ぎないのです。

なぜ、ガザ地区に住むパレスチナの人びとは、ハマスに惹きつけられるのか。

住民の大多数は、かならずしもハマスを支持しているわけではありません。しかし、ハマスのようなイスラム原理主義のなかには、福祉を重視する人たちがたくさんいる。彼らは、アッラーの前で人は平等だと考えるため、生活はものすごく質素で、持っているものは同胞に分け与える。だから、一定の人々の心をつかむことができるのです。

目下のハマスの戦略は、ヨルダン国王を打倒することに向けられています。ヨルダンにはパレスチナ難民が大勢いるので、ハマスは彼らを動員して、ヨルダンで紛争を起こそうとしているのです。

それはなぜでしょうか。

現在のヨルダン王室はイスラエルと良好な関係を維持しています。もしもヨルダンの王制が転覆すれば、サウジアラビア、アラブ首長国連邦など湾岸の王制も動揺します。その機会に乗じて、ハマスはイスラム国と提携して、中東に世界イスラム革命を輸出する拠点国家を建設しようとするわけです。

4　戦争を阻止できるか

EUとイスラム国を比較する

ここまで、キリスト教とイスラムに関して、世界史上の重要な事象を解説してきました。その応用として、現在のＥＵとイスラム国を比較してみましょう。

両者をアナコジカルに見るのは乱暴に思われるかもしれませんが、近代の基本的枠組みである国家や民族の枠を越えようとしている点は共通しています。

ＥＵの本質をなすものとして、ラテン語の「コルプス・クリスティアヌム（corpus christianum）」という概念があります。

コルプス・クリスティアヌムとは、ユダヤ・キリスト教の一神教の伝統と、ギリシャ古典哲学、ローマ法という三つの要素から構成された文化総合体のこと。日本語に訳せば「キリスト教共同体」です。これは、一九世紀末から二〇世紀初頭に活躍した神学者エルンスト・トレルチ（一八六五―一九二三）の考え方です。

この体系は、中世に確立し、近代になって世俗化していますが、いまなおヨーロッパ的な価値観の根底をなしている。ＥＵもまた、この三つの価値観によって結びつけられている有機体です。

このことは、ＥＵの広がりを見るとよくわかります。ＥＵがロシアやウクライナに延びないのは、コルプス・クリスティアヌムがカトリック・プロテスタント文化圏のものであり、正教文化圏を含みにくいからです。同様に、トルコがＥＵ入りを希望しても、入れないのは、コルプス・クリスティアヌムの価値観を共有していないからでしょう。

では、ＥＵはなぜ生まれたのか。その最大の目的は、ナショナリズムの抑制です。二度の世界大戦を経て、あまりにも大きすぎる犠牲者を出してしまった。ドイツ人もフランス人も戦争だけはしたくないと強く思って、それがＥＵという形に結晶しているわけです。したがって、宗教的価値観を中心とした結びつきには、民族やナショナリズムを越えていくベクトルがあることが確認できます。

一方、イスラム国もまた、国家や民族の枠をグローバルなイスラム主義によって克服しようという運動です。

イスラム国の組織形態は、ネットワーク型であるという特徴を持っています。アルカイダのように、ウサマ・ビンラディンの命令で下部が動くという組織形態ではありません。小さなテロのユニットが無数にあり、それぞれにかならずメンター(宗教指導者)がつく。そのユニットがインターネットでつながって、世界中で結びついているのです。しかし、EUと決定的に違うのは、イスラム国が国家や民族の枠を越えて、人を殺す思想になってしまっていることです。

イスラムには、ムスリムが支配する「イスラムの館」と、異教徒が支配している「戦争の館」という概念がある。イスラム原理主義の最終目標は、世界中の「戦争の館」を、ジハードによって「イスラムの館」に転換していくことなのです。

この場合、国家や民族は越えたとしても、ナショナリズムと同じように、人を殺す思想になってしまいます。

では、こうしたグローバルに拡大する宗教原理主義の暴走にストップをかけることはできるでしょうか。

そのヒントは、ネイションにあります。

イスラム原理主義の暴走を食い止める方策

第二章で、アントニー・D・スミスのエトニ論を紹介しました。ネイションの基にはエトニがある。つまり、ネイションが生まれるときには、共通の価値、記憶、言語、血統、領域といった事柄がエトニとして事後的に発見される。

このエトニの議論に、イスラム原理主義を無力化する鍵があります。

アーネスト・ゲルナーは『民族とナショナリズム』で、イスラムの教義について論じています（二三六—二三七頁）。その議論を下敷きにすると、イスラム原理主義の特徴として次の五点が指摘できるでしょう。

一、イスラム原理主義は儒教のように、哲学的思弁を駆使せず、簡単で、宗教と道徳が一致しているため、近代化の嵐のなかでも生き残ることができた。

二、イスラム原理主義が、儒教より強いのは、強力な超越的観念を持つからだ。

三、イスラム原理主義においては、超越的な神とこの世の人間が直結する。信仰の仲介者がいないので、政治的、道徳的言説の内容があいまいで、幅が広くなる。それゆえにイスラム原理主義は広域で影響を発揮することができる。
四、超越的な唯一神を極端に強調すれば、知的整合性を無視することができる。
五、近代的な学問手続きや論理整合性を無視して、「大きな物語」をつくることができる。
こうしたイスラム原理主義の特徴を熟知して、その暴走を事前に食い止めようとしたのが、前章で紹介したレーニンとスターリンです。

ムスリム・コミュニストの力が強まり、イスラム原理主義がソ連を席巻する可能性が生まれたとき、スターリンは脅威を除去するために、次のような方策をとりました。

一つは、イスラム原理主義が尊重する信仰対象、慣習などを尊重し、摩擦を起こさないようにする。スターリンはイスラム法（シャリーア）を尊重せよと訴えました。

第二に、イスラム系諸民族のなかにあるエトニを刺激して、イスラムへの帰属意識よりも民族意識を強化する。その結果、イスラム原理主義が浸透する土壌がなくなるわけです。

前章で解説したように、現実には上からの強制的な民族アイデンティティを付与したため、ソ連崩壊後には、ナショナリズムの暴走が始まりました。

しかし、スターリンの戦略から学べることもある。それは、エトニを刺激し、ネイションを対置することで、イスラム原理主義の浸透を防ぐということです。

第一次世界大戦時と現在とのアナロジー

ここまで、歴史をアナロジカルにとらえることを強調してきました。そこで本書の仕上げとして、第一次世界大戦時との類比で現在をとらえてみましょう。

二〇一四年は、第一次世界大戦勃発から一〇〇年目にあたります。

第一次世界大戦では、武器だけでも毒ガス、戦車、機関銃、潜水艦などの兵器が次々と開発され実戦に投入されました。戦場と銃後の区別がなくなり、非戦闘員までが動員される総力戦になったのも、この戦争がはじめてです。犠牲者数も諸説ありますが、九〇〇万人から一五〇〇万人と推定され、それ以前の戦争の犠牲者数とは桁違いでした。その結果、戦勝国であるイギリスさえ疲弊し、旧・帝国主義政策、つまり植民地支配による富の収奪システムが揺らぎ始めたのです。

第一次世界大戦の特徴として、さらに指摘しておきたいのは、戦争観の変化です。

ヨーロッパでは中世から近代にかけて、戦争をするには正しい理由が必要とされていました。正戦論です。しかし、帝国主義的な戦争である世界大戦には、どの国も納得するような正しい理由などありえない。そこで、平等（無差別）的な戦争観が持ち込まれました。正義・悪という二元論を超えて、宣戦布告や交戦規則、捕虜の取り扱いなどの規則遵守を重視する戦争観です。

しかし、この戦争観も後の第二次世界大戦で変化していった。日本が宣戦布告の前に真珠湾を攻撃したように、戦争によって得られる利益のほうが大きければ、新しい戦争観にもとづいた国際ルールなど反古（ほご）にしてもよい、そんな発想です。

それと同じ発想で行動しているのが、現在のロシアです。クリミアをロシアに編入することは、国際社会からの非難や制裁を補って余りあるほどの多大な利益をもたらすと考えているのです。

もう二つほど、補助線を引いておきましょう。

先にも述べましたが、アメリカは第二次世界大戦を経てもまだ啓蒙の精神が盛んで、合理主義を信奉しています。これは第一次世界大戦前の、科学技術と合理主義を絶対視する思想にまでさかのぼることができるでしょう。アメリカのこのスタンスは基本的に現在も変わりません。

もう一つの補助線として、ソ連型社会主義の崩壊後、資本主義国がカネに対する統制を失いつつあることを挙げましょう。社会主義という目に見える脅威が存在したときは、資本主義国は自国での革命を阻止するため、富裕層に集中する富を累進課税や法人税で吸い上げ、中下層に再分配していました。しかし、共産主義国が崩壊し再分配の必要がなくなった。その結果、富が上位の何パーセントかに集中する著しい格差が資本主義国を覆っています。

以上の情報を総合してみましょう。

まず、第一次世界大戦によって、帝国主義国が握っていた植民地と富が揺らいだ。そして、社会主義国の崩壊によって、資本主義国のマネーへのコントロールが揺らいでいる。どちらも、権力基盤が不安定になっていることを物語っています。

そして、ロシアのクリミア編入や、いまだ続くアメリカの合理主義信奉を見ると、冷戦時代の二大大国が現在、第一次世界大戦前後の状況と酷似する場にいる、ということが理解できます。

まとめると、現下の情勢と第一次世界大戦前後の状況をアナロジカルにとらえることができるのです。

第一章でも述べたとおり、一九一四年六月、サラエヴォで、オーストリア＝ハンガリー二重帝国のフェルディナント皇太子夫妻が銃撃されたことをきっかけに第一次世界大戦が起こりました。当時の世相について書かれた文献を読むと、大戦前夜、これから何かが起こる、しかし何が起きるかはわからないという不安な空気が蔓延していたようです。現在も、まさにそうではないでしょうか。先行き不透明で複雑な状況に時代は陥っています。

新・帝国主義は何を反復しているのか

時代はどこへ向かっていくのか。そのことを考察する前に、本書のまとめをしておきます。

私たちは、資本主義の歴史を見ることで、資本主義は必然的にグローバル化を伴って、帝国主義に発展することを見てきました。

第一次世界大戦後の共産主義の出現は、資本主義のブレーキ役となりましたが、一九九一年のソ連崩壊によって、再び資本主義は加速し、新・帝国主義の時代が訪れています。

一九世紀後半からの帝国主義と現代の新・帝国主義をアナロジカルにとらえることが第一章の大きなポイントでした。

帝国主義の時代には、資本主義がグローバル化していくため、国内では貧困や格差拡大という現象が現れます。富や権力の偏在がもたらす社会不安や精神の空洞化は、社会的な紐帯（ちゅうたい）を解体し、砂粒のような個人の孤立化をもたらします。そこで国家は、ナショナリズムによって人びとの統合を図ることになります。

それと同時に、帝国内の少数民族は、程度の差こそあれ民族自立へと動き出します。

こうした動向でも、旧・帝国主義と新・帝国主義はよく似ています。

上からの公定ナショナリズムや排外主義的なナショナリズムで人々が動員される一方、ハプスブルク帝国のなかでチェコ民族が覚醒したように、現代ではスコットランドや沖縄がエトニの発見にもとづいて、自身の民族性を認識するようになってきました。

帝国主義の時代には、現在の国民よりもっと下位のネイション、つまりもっと小さな民族に主権を持たせることで危機を乗り越えようという動きが出てくるのです。

以上が第二章の核となるアナロジーでした。

沖縄やスコットランドとは対照的に、国民国家の危機をグローバルな理念で乗り越えようとする動きも出てきます。それが宗教的な理念です。

本章で見たように、時代こそ違いますが、キリスト教でもイスラムでも、社会の危機に対して、復古主義・原理主義的な運動が起こり、地域や領土を越えて拡散していく点では共通しています。

いや、現代のEUも見方によっては、西ローマ帝国、さらにはローマ帝国への回帰ということもできるでしょう。

プレモダンの精神をもって、モダンをリサイクルする

このように、巨視的に歴史を見る力を身につけることで、現代がどのような時代なのかを把握することが可能になります。そこではアナロジカルな見方も大いに有効でしょう。

しかし、ほんとうに難しい問題はその先にある。

先に述べたとおり、はたして、時代はどこに向かっていくのかという問題です。

一九世紀末に生まれた帝国主義は、二つの世界大戦による大量殺人と大量破壊まで行き着いてしまいました。ヨーロッパが殺し合いをしなくなったのは、あまりにも大きすぎる犠牲をこのときに払ったからです。いわば、帝国主義は臨界点を迎えてしまったわけです。

一方、現代の新・帝国主義は、第三次世界大戦には至っていません。しかし、ウクライナ、パレスチナ、イラク、シリアなどでは、核を使わない戦争が続いています。

こうした戦争や紛争を解決するには、たった一つしかありません。それは、ヨーロッパがそうだったように、もうこれ以上殺し合いをしたくないと双方が思うことです。

その境界線を定量化することはできません。数百万人かもしれないし、数千人かもしれない。しかし、その一線はかならず存在する。

だとすれば、その一線をできるだけ下げるようにするのが、戦争を阻止するという本書の目的に適うことになります。

そのためには、どうすればいいでしょうか。

私は、二つの可能性があると考えます。一つはもう一度、啓蒙に回帰することです。

人権、生命の尊厳、愛、信頼といった手垢のついた概念に対して、不可能だと知りながらも、語っていく。それは、バルトの言う「不可能の可能性」を求めていくことです。近代が限界に近いことはたしかです。その徴候はいたるところに現れている。しかし、近代を超える思想として提出されたものが、ことごとく失敗しているのも事実です。

啓蒙主義の帰結を反省して、あらゆる理念や概念を相対化した結果、人びとは何も信じることができなくなって、動物的に行動するだけになってしまう。いまや政治も経済も、動物行動学者の想定するような世界になっています。

私自身は、近代は限界に近づいているものの、それはまだしばらく先のことだと考えます。

国民国家や資本主義のシステムはそう簡単に崩れません。国民国家の成立が均質の労働力を生み、資本主義を育ててきました。その綻(ほころ)びが見え始めたとはいえ、いま世界で起きていることは、しょせんコップのなかの嵐であり、現行システムの調整だと私は思います。だとすれば、近代の枠組みのなかで戦争を止めるには、近代の力を使うしかありません。それが私の言う啓蒙主義です。モダンのリサイクルと言ってもいいかもしれません。

もう一つはプレモダンの精神、言い換えれば「見えない世界」へのセンスを磨くことです。

本章で何度も述べたとおり、「見える世界」の重視という近代の精神は、旧・帝国主義の時代に戦争という破局をもたらしました。新・帝国主義の時代には、目には見えなくとも確実に存在するものが再浮上してくると私は見ています。

イギリスの特徴として、実念論が国家の中核にあることを挙げました。「目には見えなくとも存在するもの」が、この国では近代的な民族を超える原理となって人々を統合してきたのです。イギリスのみならず、現下の情勢を見てもわかるとおり、もはや合理的なことだけでは国家や社会の動きは説明できないでしょう。実念論の時代の再来です。

だからこそ、私たちは「見えない世界」へのセンスを磨き、国際社会の水面下で起こっていることを見極めなければならないのです。

以上をまとめると、プレモダンの精神をもって、モダンをリサイクルするということです。

歴史への向き合い方も、私たちはイギリスに学ばなければいけません。本書で何度か紹介したとおり、イギリスの歴史教科書は過去の過ちをふまえて、歴史には国家によって、そして民族によって複数の見方があることを、徹底して教えこもうとしていました。

私たちもまた、歴史は物語であるという原点に立ち返る必要があります。

立場や見方が異なれば、歴史＝物語は異なる。世界には複数の歴史がある。そのことを自覚したうえで、よき物語を紡いで、伝えること。

そして、歴史が複数あることを知るためには、アナロジーの力を使わなければいけない。「見えない世界」へのセンスを磨くためには、アナロジカルに考えないといけない。

近代の宗教である資本主義やナショナリズムに殺されないために、私たちはアナロジーを熟知して、歴史を物語る理性を鍛えあげていかなければならないのです。

■「キリスト教」「イスラム」を理解するための本

ブルトマン
『キリストと神話』
新教新書

戦間期にカール・バルトとともに弁証法神学運動を推進し、現代人の実存に即した形で新約聖書を解釈すること（非神話化）を提唱したブルトマン。その主張がコンパクトにまとめられている。ぜひ挑戦してほしい。

中村廣治郎
『イスラム教入門』
岩波新書

日本とイスラムの関係から説きおこし、歴史から宗派、信仰のあらましまでが丁寧に解説されている。現下の宗教紛争やイスラム国登場の背景もまた、明確に理解できるだろう。入門書の決定版と言ってよい。

引用・参考文献（本文への登場順）

序章

・エリック・ホブズボーム［河合秀和訳］『20世紀の歴史――極端な時代（上）（下）』三省堂、一九九六年
・フランシス・フクヤマ［渡部昇一訳］『歴史の終わり（上）――歴史の「終点」に立つ最後の人間』『歴史の終わり（下）――「歴史の終わり」後の「新しい歴史」の始まり』三笠書房、二〇〇五年
・マルクス［伊藤新一、北条元一訳］『ルイ・ボナパルトのブリュメール十八日』岩波文庫、一九五四年
・アリスター・E・マクグラス［神代真砂実訳］『キリスト教神学入門』教文館、二〇〇二年
・高山岩男『世界史の哲学』花澤秀文編、こぶし文庫、二〇〇一年
・佐藤優『日米開戦の真実――大川周明著『米英東亜侵略史』を読み解く』小学館文庫、二〇一一年
・佐藤優『日本国家の神髄――禁書『国体の本義』を読み解く』扶桑社、二〇〇九年

第一章

・佐藤優『新・帝国主義の時代――右巻　日本の針路篇』中央公論新社、二〇一三年
・佐藤優『新・帝国主義の時代――左巻　情勢分析篇』中央公論新社、二〇一三年
・木村靖二、佐藤次高、岸本美緒『詳説　世界史（世界史B）』山川出版社、二〇一三年
・岩波講座『世界歴史22　産業と革新――資本主義の発展と変容』岩波書店、一九九八年
・岩波講座『世界歴史24　現代1――第一次世界大戦』岩波書店、一九七〇年
・スウィフト〔平井正穂訳〕『ガリヴァー旅行記』岩波文庫、一九八〇年
・レーニン〔宇高基輔訳〕『帝国主義――資本主義の最高の段階としての』岩波文庫、一九五六年
・マルクス〔エンゲルス編〕〔向坂逸郎訳〕『資本論（一）～（九）』岩波文庫、一九六九――一九七〇年
・宇野弘蔵『経済原論』岩波全書、一九六四年
・宇野弘蔵『経済政策論〔改訂版〕』弘文堂、一九七一年
・アレクサンドル・ダニロフ、リュドミラ・コスリナ、ミハイル・ブラント〔吉田衆一、アンドレイ・クラフツェヴィチ訳〕『ロシアの歴史【下】19世紀後半から現代まで――ロシア中学・高校歴史教科書（世界の教科書シリーズ32）』明石書店、二〇一一年
・ホブスン〔矢内原忠雄訳〕『帝国主義論（上）（下）』岩波文庫、一九五一――一九五二年

・マイケル・ライリー、ジェイミー・バイロン、クリストファー・カルピン〔前川一郎訳〕『イギリスの歴史【帝国の衝撃】――イギリス中学校歴史教科書（世界の教科書シリーズ34）』明石書店、二〇一二年

第二章

・ベネディクト・アンダーソン〔白石さや、白石隆訳〕『定本 想像の共同体――ナショナリズムの起源と流行』書籍工房早山、二〇〇七年
・アーネスト・ゲルナー〔加藤節・監訳〕『民族とナショナリズム』岩波書店、二〇〇〇年
・アントニー・D・スミス〔高柳先男訳〕『ナショナリズムの生命力』晶文社、一九九八年
・アントニー・D・スミス〔巣山靖司、高城和義他訳〕『ネイションとエスニシティ――歴史社会学的考察』名古屋大学出版会、一九九九年
・E・ケドゥーリー〔小林正之、栄田卓弘、奥村大作訳〕『ナショナリズム　第二版』学文社、二〇〇〇年
・佐藤優『宗教改革の物語――近代、民族、国家の起源』角川書店、二〇一四年
・矢田俊隆『ハプスブルク帝国史研究――中欧多民族国家の解体過程』岩波書店、一九七七年
・山内昌之『スルタンガリエフの夢――イスラム世界とロシア革命』岩波現代文庫、二〇〇九年

・スターリン〔スターリン全集刊行会訳〕「マルクス主義と民族問題」、『スターリン全集第2巻』大月書店、一九八〇年

第三章

・『聖書　引照付き　新共同訳』日本聖書協会
・トレルチ〔内田芳明訳〕『ルネサンスと宗教改革』岩波文庫、一九五九年
・山内志朗『普遍論争――近代の源流としての』平凡社ライブラリー、二〇〇八年
・ウォーカー〔菊地栄三、中澤宣夫訳〕『キリスト教史1　古代教会』ヨルダン社、一九八四年
・ウォーカー〔速水敏彦、柳原光、中澤宣夫訳〕『キリスト教史2　中世の教会』ヨルダン社、一九八七年
・ウォーカー〔塚田理、八代崇訳〕『キリスト教史3　宗教改革』ヨルダン社、一九八三年
・ウォーカー〔野呂芳男、塚田理、八代崇訳〕『キリスト教史4　近・現代のキリスト教』ヨルダン社、一九八六年
・シュライエルマッハー（シュライエルマッヘル）〔佐野勝也、石井次郎訳〕『宗教論』岩波文庫、一九四九年
・カール・バルト〔小川圭治、岩波哲男訳〕『ローマ書講解（上）（下）』平凡社ライブラリー、二〇

〇一年
・佐藤優『はじめての宗教論　左巻――ナショナリズムと神学』ＮＨＫ出版新書、二〇一一年
・森孝一『宗教からよむ「アメリカ」』講談社選書メチエ、一九九六年
・中村廣治郎『イスラム教入門』岩波新書、一九九八年

あとがき

キリスト教神学には、歴史神学という分野がある。一般の歴史では、実証性が基本になる。歴史神学でも実証性を無視するわけではないが、さらにその奥にある歴史を突き動かす原動力の探究をする。この歴史神学の方法を用いて「世界史の極意」をつかむことができないかと考えた。そのとき頭に浮かんだのが、同志社大学神学部で学んだことだ。

私の仕事場には、辞書類などを並べた常備用本棚がある。その真ん中に、大学時代、歴史神学の教科書だった藤代(ふじしろ)泰三『キリスト教史』(日本YMCA同盟出版部、一九七九年)が並んでいる。一週間に二、三回はこの本を開く。そうすると同志社大学今出川キャンパスの神学館三階の小教室で行われた藤代泰三先生(一九一七—二〇〇八)の授業を思い出す。

年一回、きちんとしたレポートを提出すれば、授業には出席しなくても単位を与えるというのが当時の神学部の教育方針だった。それだから、藤代先生の講義とゼミに常時出席する学生は私を含め二、三人だった。

藤代先生の担当は、宗教改革以降のキリスト教史だった。ただし、藤代先生は、網羅的に講義をするのではなく、二つのテーマしか扱わなかった。一つ目は、一五一七年にルターがウィッテンベルクで「九五カ条のテーゼ」を発表する以前、「詩篇講義」「ローマ書講義」で福音(ふくいん)を再発見したときの経緯だ。二つ目は、カント、シュライエルマッハー、ヘーゲルによる啓蒙主義克服の試みだ。

私たちが、「ツヴィングリやカルヴァンについても知りたいです」と言っても、藤代先生は「ルターによる福音の再発見を追体験することができれば、それ以後の宗教改革者の考えは、本を読めばわかります」と言って、取り合ってくれなかった。

私が二回生のとき、一九八〇年のことだ。三回生で新左翼系の神学部自治会委員長をつとめる滝田敏幸君（現千葉県議会議員〔自民党〕）が、藤代ゼミで初期ヘーゲルの弁証法理解に関する発表をした。ヘーゲルの『イエスの生涯』『キリスト教精神とその運命』をよく読み込んだ、優れた発表だった。藤代先生は、「よく調べています」と発表自体は評価したが、その後、「ヘーゲルには気をつけないといけません。特に弁証法という考え方には落とし穴がありますと真顔でたしなめた。滝田君が「ヘーゲルのどこに問題があるのでしょうか」と尋ねると、藤代先生は、「理性を重視しすぎています」と答えた。そして、『キリスト教史』を開いて、読み上げた。

〈実証主義に立つ史学においては史料の取り扱い、すなわち史料の収集や選択や批判や解釈には理性だけで十分であろうが、精神科学としての歴史学の研究には理性だけではきわめて不十分であって、身体・理性・意志・感情・信仰をもつ人間の主体においてこの作業にあたらなければならないと考える。このような作業は、ディルタイのいう体験・表現・追体験（了解）による解釈によってのみ可能で、史料に表現されている体験を研究者主体が追体験し理解しなければならない（中略）。ここに史学方法論における重要な、個と全体、特殊性と普遍性、独自性と同一性の問題の解決のかぎが存する。解釈学は、まず史料の言語学的、歴史的（政治、経済、社会、文化的等）分析を徹底的にしたあとで、その史料を解釈するのである。〉（藤代泰三『キリスト教史』日本ＹＭＣＡ同盟出版部、一九七九年、四―五頁）

そして、チョークで黒板にたくさん点を書いて、それを線で結んで、藤代先生はこう言った。

「皆さん、ここに書いた図の意味が分かりますか。この点は一人一人の人間です。その人間が、さまざまな人と相互に関係している。この世の中に生を受けた、たった一人の人を除外してしまっても、歴史は成り立たないと僕は考えます。ヘーゲルが言うように絶対精神が、弁証法的に発展していくというような単純な流れを歴史は取らない。もっと複雑な現象です。他人の気持ちになって考えること、他人の体験を追体験することを、どれだけ繰り返すかで、歴史理解の深さが変わってきます。そして、歴史を類比として理解するのです。皆さんはまだ若いから、私が何を言っているかよくわからないと思います。ヘーゲルやマルクスのように強力な世界観に基づいて歴史をダイナミックに読み解いていく手法に魅力を感じると思います。しかし、そういう哲学や神学は、どこかで具体的な人間を見失ってしまうのではないかと、僕は危惧（きぐ）しています」

この講義をした頃、藤代先生は六七歳で、私と滝田君は二〇歳だった。私たちは今年、五五歳になる。当時の藤代先生と年齢が近づいてくるとともに、先生が伝えたかったことが皮膚感覚でわかるようになった。私たちが、理論の魅力の虜にならず、他人の気持ちになって考えることと、他人の体験を追体験することを重視し、アナロジカルに歴史を読み解く習慣がついたのは藤代先生の影響によるところが大きい。

本書の構成、編集に当たっては、ライターの斎藤哲也氏、ＮＨＫ出版の大場旦氏と久保田大海氏にたいへんにお世話になりました。感謝申し上げます。

二〇一五年一月一日　曙橋（東京都新宿区）の自宅にて

佐藤　優

編集協力　斎藤哲也
校閲　大河原晶子
図版作成　原　清人
DTP　佐藤裕久

佐藤 優 さとう・まさる
1960年、東京都生まれ。作家・元外務省主任分析官。
同志社大学大学院神学研究科修了後、外務省入省。
2002年、背任と偽計業務妨害容疑で逮捕、起訴され、
09年6月有罪確定。現在は、執筆活動に取り組む。
『国家の罠』(新潮社)で毎日出版文化賞特別賞受賞。
『自壊する帝国』(新潮社)で新潮ドキュメント賞、
大宅壮一ノンフィクション賞受賞。
そのほか『国家論』『はじめての宗教論(右巻・左巻)』『私のマルクス』
『人に強くなる極意』『宗教改革の物語』など著書多数。

NHK出版新書 451

世界史の極意

2015年1月10日 第1刷発行
2019年12月5日 第6刷発行

著者 佐藤 優
発行者 森永公紀
発行所 NHK出版
〒150-8081東京都渋谷区宇田川町41-1
電話 (0570) 002-247(編集) (0570) 000-321(注文)
http://www.nhk-book.co.jp (ホームページ)
振替 00110-1-49701

ブックデザイン albireo
印刷 新藤慶昌堂・近代美術
製本 二葉製本

Printed in Japan ISBN978-4-14-088451-5 C0220

NHK出版新書好評既刊

プーチンはアジアをめざす
激変する国際政治
下斗米伸夫

ウクライナ危機はなぜ深刻な米ロ対立を生みだしたのか? プーチンの「脱欧入亜」戦略を読み解きながら、来たる国際政治の大変動を展望する。

448

財政危機の深層
増税・年金・赤字国債を問う
小黒一正

財政問題の本質はどこにあるのか。元財務省官僚の経済学者が、世にあふれる「誤解」「楽観論」を正し、持続的で公正な財政の未来を問う。

449

現代世界の十大小説
池澤夏樹

私たちが住む世界が抱える問題とは何か? その病巣はどこにあるのか?『百年の孤独』から『苦海浄土』へ——。世界の〝いま〟を、文学が暴き出す。

450

世界史の極意
佐藤 優

「資本主義」「ナショナリズム」「宗教」の3つのテーマで、必須の歴史的事象を厳選して明快に解説! 激動の国際情勢を見通すための世界史のレッスン。

451

憲法の条件
戦後70年から考える
大澤真幸
木村草太

集団的自衛権やヘイトスピーチの問題、議会の空転や、護憲派と改憲派の分断を乗り越えて、日本人は憲法を「わがもの」にできるのか。白熱の対論。

452